Νίκος Δεσύλλας

ΘΡΑΚΗ

ΧΡΩΜΑΤΑ ΚΑΙ ΑΠΟΧΡΩΣΕΙΣ

Nikos Desyllas

THRACE

COLOURS AND HUES

Καλλιτεχνική Επιμέλεια: Μαρία Καρατάσσου
Art Editor: Maria Karatassou

KEIMENA

ΔΙΑΜΑΝΤΗΣ ΤΡΙΑΝΤΑΦΥΛΛΟΣ
Έφορος Αρχαιοτήτων Θράκης

ΝΙΚΟΣ ΖΗΚΟΣ
Αρχαιολόγος, Καβάλα

ΘΑΝΑΣΗΣ ΜΟΥΣΟΠΟΥΛΟΣ
Φιλόλογος-Συγγραφέας, Ξάνθη

ΑΝΤΩΝΗΣ Κ. ΛΙΑΠΗΣ
Πολ. Επιστήμων-Κοινωνιολόγος, Κομοτηνή

ΔΗΜΟΣΘΕΝΗΣ ΔΟΥΚΑΣ
Δημοσιογράφος ΕΣΗΕΜΘ, Αλεξανδρούπολη

ΚΩΣΤΑΣ ΠΟΪΡΑΖΙΔΗΣ
Δασολόγος-Ορνιθολόγος,
Υπεύθυνος Προγράμματος Δαδιάς,
WWF Ελλάς

ΔΗΜΗΤΡΑ ΚΑΤΑΚΗ
Φιλόλογος, Σμίνθη-Ξάνθη

Σύνθεση και Επιμέλεια Κειμένων
ΑΝΝΑ ΜΙΧΟΠΟΥΛΟΥ

TEXTS

DIAMANTIS TRIANTAPHYLLOS
Ephor of Antiquities, Thrace

NIKOS ZIKOS
Arhaeologist, Kavala

THANASIS MOUSOPOULOS
Philologist-Writer, Xanthi

ANTONIS K. LIAPIS
Sociologist, Komotini

DIMOSTHENIS DOUKAS
Journalist, Alexandroupoli

KOSTAS POIRAZIDIS
Forester-Ornithologist
Project Leader of the Dadia
Program, WWF Greece

DIMITRA KATAKI
Philologist, Sminthi-Xanthi

Editor of Texts
ANNA MIHOPOULOU

ΠΕΡΙΕΧΟΜΕΝΑ

CONTENTS

Αφιερωμένο στην επέτειο
των εκατό χρόνων από το θάνατο
του Γεωργίου Βιζυηνού
(Βιζύη αν. Θράκης 1848 - Αθήνα 1896)

In commemoration of
the 100th anniversary from the death
of Georgios Vizyinos
(Vizye, eastern Thrace 1848 - Athens 1896)

ΘΡΑΚΗ
ΧΡΩΜΑΤΑ ΚΑΙ ΑΠΟΧΡΩΣΕΙΣ

Η Θράκη είναι ένας ιδιαίτερος χώρος, στο σταυροδρόμι ανάμεσα στην Ευρώπη και την Ασία. Σήμερα τα εδάφη της Θράκης τα διατρέχουν σύνορα τριών χωρών: της Ελλάδας, της Βουλγαρίας και της Τουρκίας.

Προσεγγίζουμε τη Θράκη ακολουθώντας δρόμους και μονοπάτια της ιστορίας, της αρχαιολογίας, της ανθρωπολογίας. Στη σημερινή ελληνική Θράκη μια τέτοια πορεία έχουμε το προνόμιο να τη συνοδεύουν και να την καθοδηγούν οι διαφορετικές πολιτισμικές παραδόσεις που στην περιοχή αυτή μπορούν ακόμα και συνυπάρχουν και αναπτύσσονται. Και όλα αυτά μέσα σ' ένα περιβάλλον ξεχωριστής φυσικής ομορφιάς, που προσφέρει καταφύγιο σε σπάνιες μορφές ζωής και μπορεί –γιατί όχι;– να αποτελέσει πυρήνα αναζήτησης πιο ισορροπημένων και πιο ολοκληρωμένων τρόπων διαβίωσης για όλους μας.

Με τις φωτογραφίες του Νίκου Δεσύλλα, πλαισιωμένες με ιστορικές μαρτυρίες αλλά και κείμενα γραμμένα από ανθρώπους που ζουν και δημιουργούν σήμερα στη Θράκη, οι εκδόσεις Σύνολο προτείνουν ένα οδοιπορικό σ' αυτόν τον τόπο, τον γεμάτο χρώματα και αποχρώσεις.

Μαρία Καρατάσσου

THRACE
COLOURS AND HUES

Thrace is a special place, at the cross-roads between Europe and Asia; today through its territory run the frontiers of three states: Greece, Bulgaria and Turkey.

We will approach Thrace following ancient roads and trails, the pathways of history, archaeology and anthropology. In the south-western part of Thrace, the part that today belongs to Greece, a journey of this kind is privileged because it is guided and shaped by the diverse cultural traditions that throughout this area can still co-exist and evolve together. And all this in a landscape of unparalleled natural beauty, a place which provides a refuge for many rare species and which could constitute the heart of our search for more balanced and integrated life styles –for all of us.

With this presentation of Nikos Desyllas' photographs accompanied by both references to the literary and cultural traditions of the area and by texts written especially by men and women living and working in Thrace today, Synolo Publications offer a guide to this land so full of colours and hues.

Maria Karatassou

Διαμαντής Τριαντάφυλλος
Η ΘΡΑΚΗ ΣΤΗΝ ΑΡΧΑΙΟΤΗΤΑ

Η Θράκη του Αιγαίου, της Ροδόπης, του Νέστου και του Έβρου, η σημερινή ελληνική Θράκη, είναι μικρό τμήμα του μεγάλου χώρου της αρχαίας Θράκης που απλωνόταν από το Αιγαίο και τον Ελλήσποντο ως τον Δούναβη και από τον Εύξεινο Πόντο ως τα όρια της Μακεδονίας. Η γεωγραφική της θέση ανάμεσα στην Ευρώπη και την Ασία και οι μεγάλοι δρόμοι που διέσχιζαν από παλιά τις πεδιάδες και τα βουνά της καθόρισαν αποφασιστικά τη μακραίωνη ιστορική της πορεία. Η Θράκη, περισσότερο από κάθε άλλη περιοχή, γνώρισε μετακινήσεις πληθυσμών, εγκαταστάσεις αποίκων, εχθρικές επιδρομές, πολέμους και κατακτητές και συγχρόνως δέχτηκε ισχυρές επιδράσεις γειτονικών λαών και πολιτισμών.

Τα πρώτα ίχνη ζωής εντοπίστηκαν στις περιοχές Ορμενίου και Κριού, ανάμεσα στον Έβρο και τον Άρδα, και είναι κόκαλα μεγάλων ζώων που χρονολογούνται πριν από 5-3 εκατομμύρια χρόνια. Η πλούσια βλάστηση, τα δάση, τα ποτάμια και τα άφθονα νερά ευνόησαν την παρουσία των ζώων κι αυτά με τη σειρά τους έφεραν στην περιοχή τους παλαιολιθικούς ανθρώπους, που γύριζαν και αναζητούσαν με το κυνήγι την τροφή τους. Κατάλοιπα της ζωής τους είναι τα λίθινα εργαλεία από πυριτόλιθο που βρέθηκαν με επιφανειακή έρευνα κοντά στους ποταμούς Άρδα στο νομό Έβρου και Μακροπόταμο στο νομό Ροδόπης.

Την επόμενη περίοδο της προϊστορίας, τη Νεολιθική, αρχίζει κι εδώ η πρώτη μεγάλη επανάσταση στη ζωή του ανθρώπου. Από το συλλεκτικό στάδιο περνάει στο στάδιο παραγωγής· κατασκευάζει μόνιμους οικισμούς και ασχολείται με τη γεωργία και την κτηνοτροφία. Οι πιο σημαντικοί νεολιθικοί οικισμοί στη νοτιοδυτική Θράκη είναι της Παραδημής και της Μάκρης. Οι ανασκαφές έφεραν στο φως αρχιτεκτονικές κατασκευές και πλούσια ευρήματα της 5ης χιλιετίας π.Χ., που μας δίνουν πολύτιμες πληροφορίες για τη ζωή και τις δραστηριότητες του νεολιθικού ανθρώπου. Τα λείψανα των κατοικιών είναι λασπότοιχοι με πασσαλότρυπες, δάπεδα δωματίων με συνεχείς ανακατασκευές, εστίες, φούρνοι, απορριμματικοί λάκκοι και χώροι για την αποθήκευση καρπών. Τα αγγεία είναι πλασμένα με το χέρι, άλλα μονόχρωμα (καστανά, μαύρα-καστανά ή κόκκινα-καστανά), άλλα μαύρα στο πάνω μέρος και άλλα έχουν σχέδια με γραφίτη σε μαύρη επιφάνεια ή με μαύρο χρώμα σε κόκκινη επιφάνεια· υπάρχουν αμφικωνικά αγγεία, κωνικές φιάλες και αβαθή κυκλικά ή τριγωνικά αγγεία,

γνωστά ως «τράπεζες», με ψηλά κυλινδρικά ή τριγωνικής διατομής πόδια. Τα περισσότερα από τα πήλινα ειδώλια είναι ανθρωπόμορφα με εγχάρακτη διακόσμηση, όμοια με τα ειδώλια οικισμών της βόρειας και ανατολικής Θράκης. Βρέθηκαν λίθινες λεπίδες, οι περισσότερες από πυριτόλιθο και ελάχιστες από οψιανό. Υπάρχουν επίσης αξίνες, πελέκεις, σμίλες, γουδιά, γουδοχέρια και μυλόπετρες, καθώς και βελόνες, σουβλιά και σπάτουλες από κόκαλο. Μερικές από τις τροφές του νεολιθικού ανθρώπου που βρέθηκαν στην ανασκαφή της Μάκρης είναι το μονόκοκκο και δίκοκκο σιτάρι, το κριθάρι, η φάβα, η φακή και άγριοι καρποί όπως σύκα, αμύγδαλα, σταφύλι και φιστίκια. Αναγνωρίστηκαν επίσης κόκαλα από εξημερωμένα ζώα –πρόβατα, κατσίκια και γουρούνια. Η ύπαρξη στον οικισμό της Μάκρης ενός κεντρικού αποθηκευτικού χώρου με λάκκους και αγγεία αποδόθηκε στην παρουσία ενός αρχηγού και μιας κεντρικής κοινοτικής εξουσίας.

Η επόμενη περίοδος, η εποχή του Χαλκού, αρχίζει το 3000 π.Χ. και έχει ως ιδιαίτερα χαρακτηριστικά της τα αψιδωτά κτίρια, τα μονόχρωμα αγγεία με μικρό αριθμό από εγχάρακτα σχέδια και σχοινοειδή διακόσμηση, τα περίαπτα σε σχήμα άγκυρας, τον τρόπο ταφής των νεκρών κ.ά.

Η μέση εποχή του Χαλκού (2000-1600 π.Χ.) είναι γνωστή από τα ευρήματα στο Μικρό Βουνί της Σαμοθράκης. Η κεραμική έχει ομοιότητες με αυτήν της Τροίας VI και εκείνην της αντίστοιχης περιόδου στην Πολιόχνη της Λήμνου. Τα μινωικά σφραγίσματα που βρέθηκαν μαζί είναι ευρήματα σπάνια και μας δίνουν για πρώτη φορά την πληροφορία ότι οι Μινωίτες είχαν αναπτύξει εμπορική δραστηριότητα στο βόρειο Αιγαίο και τον Εύξεινο Πόντο.

Η ύστερη εποχή του Χαλκού (1600-1050 π.Χ.) συνδέεται με τη διασπορά των Θρακικών φύλων στις ανατολικές και νότιες περιοχές της Χερσονήσου του Αίμου. Στη νότια Θράκη εγκαταστάθηκαν κατά τις τελευταίες δεκαετίες της περιόδου αυτής, πάνω στα υψώματα της Ροδόπης και του Ισμάρου αλλά και στις πεδινές περιοχές, όπως δείχνουν οι θέσεις των οικισμών. Ήταν νομάδες και κτηνοτρόφοι. Για τη ζωή τους στις ορεινές περιοχές και για το επίπεδο του πολιτισμού τους μας μιλούν σήμερα μνημεία και ευρήματα όπως οχυρωμένες ακροπόλεις, υπαίθρια ιερά (με λατρευτικές κόγχες, κοιλότητες, βωμούς και εγχάρακτα σχέδια στους βράχους), λαξευτοί τάφοι, νεκροταφεία με μεγαλιθικούς τάφους, κατάλοιπα οικισμών και κεραμική με εγχάρακτα και εμπίεστα γεωμετρικά σχέδια.

Οι Θράκες είχαν κοινή καταγωγή με τους Έλληνες, γι' αυτό και οι δυο λαοί ακολούθησαν κοινή ιστορική πορεία. Οι πρόγονοί τους κατοικούσαν κάποτε στην ίδια κοιτίδα του βορρά. Αργότερα, με τις μετακινήσεις των λαών, ακολούθησαν διαφορετικές κατευθύνσεις και εγκαταστάθηκαν σε διαφορετικές περιοχές. Η αρχική κοινή τους γλώσσα με το πέρασμα των αιώνων γνώρισε διαφορετική εξέλιξη, με αποτέλεσμα να διαμορφωθούν δυο γλώσσες με κοινές ρίζες αλλά διαφορετική μορφή. Στα ιστορικά χρόνια, οι κοινές καταβολές και οι δεσμοί μεταξύ των δύο λαών τους ξανάφεραν κοντά και δημιούργησαν το θαύμα του εκπολιτισμού και εξελληνισμού των Θρακών. Τους δεσμούς Ελλήνων και Θρακών φανερώνουν και οι ελληνικοί μύθοι που αναφέρονται σε πρόσωπα θρακικής καταγωγής. Τα πιο γνωστά είναι ο Εύμολπος, ο Ορφέας, ο Μουσαίος, ο Θάμυρις και ο Λίνος. Μερικοί από τους μύθους αναφέρονται στο βασιλιά των Βιστόνων Διομήδη, στον Τηρέα και την Πρόκνη, στον Ορφέα και την Ευρυδίκη, στο βασιλιά των Ηδωνών Λυκούργο, στον Βορέα και την Ωρείθυια.

Οι Θράκες, πριν να δεχτούν την επίδραση της ελληνικής παιδείας και του ελληνικού πολιτισμού, δεν είχαν γραπτή γλώσσα και επομένως δεν άφησαν γραπτά μνημεία στη δική τους θρακική διάλεκτο. Τα μόνα στοιχεία της διαλέκτου που έχουν διασωθεί είναι ονόματα και τοπωνύμια. Όλες οι άλλες πληροφορίες για τη ζωή και τον πολιτισμό των Θρακών προέρχονται αποκλειστικά από τους αρχαίους Έλληνες συγγραφείς, τις ελληνικές επιγραφές και τα άλλα μνημεία της αρχαίας ελληνικής τέχνης. Η είσοδος των Θρακών στην ιστορία οφείλεται πραγματικά στον εξελληνισμό τους και στην ισχυρή επίδραση του ελληνικού πνεύματος.

Οι Θράκες ήταν χωρισμένοι σε πολλά αυτόνομα φύλα, που κατοικούσαν σε γειτονικές περιοχές αλλά διέφεραν σημαντικά μεταξύ τους ως προς το χαρακτήρα, την κοινωνική συγκρότηση και το επίπεδο του πολιτισμού τους. Οι διαφορές αυτές οδηγούσαν συχνά σε πολεμικές συγκρούσεις και μετακινήσεις πληθυσμών. Οι αρχαίοι συγγραφείς έχουν διασώσει τα ονόματα πολλών θρακικών φύλων. Μεταξύ του Νέστου και του Έβρου κατοικούσαν από δυτικά οι Σαπαίοι, οι Βίστονες και οι Κίκονες. Ο Όμηρος αναφέρει τους Κίκονες και την πόλη τους Ίσμαρο ή Ισμάρα, όπου ο Οδυσσέας συνάντησε τον Μάρωνα, τον ιερέα του Απόλλωνα, και δέχτηκε τα πολύτιμα δώρα του.

Σταθμός στην ιστορία της Θράκης υπήρξε η ίδρυση των ελληνικών αποικιών στις θρακικές ακτές. Έλληνες άποικοι από τα νησιά του ανατολικού Αιγαίου και τις πόλεις της Μ. Ασίας εγκατέλειψαν τις πατρίδες τους για κοινωνικούς και πολιτικούς λόγους, κυρίως όμως για να αναζητήσουν σε άλλες χώρες νέες πλουτοπαραγωγικές πηγές. Έτσι, στις θρακικές ακτές στο βόρειο Αιγαίο ιδρύθηκαν οι πόλεις Άβδηρα, Δίκαια, Στρύμη, Μαρώνεια, Μεσημβρία/Ζώνη, Δρυς, Σάλη και Αίνος. Στη Θρακική χερσόνησο δημιουργήθηκαν οι πόλεις Καρδία, Ελαιούς, Σηστός, Κριθωτή και Αλωπεκόννησος. Στην Προποντίδα, η Πέρινθος, η Βισάνθη, το Ηραίον Τείχος, η Σηλυμβρία και το Βυζάντιο. Στις θρακικές ακτές που βρέχονται από τον Εύξεινο Πόντο, η Απολλωνία, η Αγχίαλος, η Μεσημβρία, η Οδησσός, η Διονυσόπολις, η Κάλλατις, οι Τόμοι και ο Ίστρος. Η Θράκη πρόσφερε στους αποίκους πολύτιμα μέταλλα, πλούσια ξυλεία για την κατασκευή πλοίων και σπιτιών, εύφορες εκτάσεις για καλλιέργεια, απέραντα βοσκοτόπια και πλούσια αλιεύματα. Οι αποικίες ήταν γεωργικοί και εμπορικοί σταθμοί στην αρχή, γρήγορα όμως έγιναν μεγάλες και ισχυρές πόλεις-κράτη.

Οι εμπορικές σχέσεις Ελλήνων και Θρακών ήταν στενές και κάλυπταν πολλές περιοχές. Ο πρώτος εμπορικός σταθμός στην ενδοχώρα της Θράκης εντοπίστηκε πρόσφατα, δυτικά της Φιλιππούπολης, και ονομάζεται Πίστυρος, σύμφωνα με τη μαρτυρία ενός ψηφίσματος. Οι Έλληνες πουλούσαν αλάτι, βιοτεχνικά προϊόντα, κεραμικά είδη, έργα τέχνης και αγόραζαν δημητριακά, μέταλλα, ξυλεία και κτηνοτροφικά προϊόντα.

Η εμπορική και οικονομική δραστηριότητα έφεραν πλούτο και δημιούργησαν ευνοϊκές συνθήκες για την ανάπτυξη των τεχνών και του πολιτισμού. Πολλά έργα ιωνικής και αττικής τέχνης, όπως επιτύμβια και αναθηματικά ανάγλυφα, αγάλματα, αγγεία, ειδώλια, κοσμήματα και νομίσματα φανερώνουν το υψηλό καλλιτεχνικό επίπεδο των αποίκων. Όλες οι αποικίες έγιναν κέντρα ακτινοβολίας και εξάπλωσης του ελληνικού πολιτισμού. Πολύ γρήγορα άρχισε η διάδοση και η επίδραση της ελληνικής γλώσσας, της ελληνικής θρησκείας και του ελληνικού πολιτισμού και συγχρόνως ο εξελληνισμός των Θρακών. Εμείς θα αναφερθούμε σε μερικά από τα πιο σημαντικά κέντρα του Ελληνισμού στη νοτιοδυτική Θράκη.

Άβδηρα. Πρώτοι άποικοι των Αβδήρων ήταν οι Κλαζομένιοι με αρχηγό τον Τιμήσιο (656 π.Χ.), ενώ αργότερα ήρθαν άποικοι από την Τέω, οι οποίοι και ίδρυσαν την πόλη. Μυθικός ιδρυτής της πόλης ήταν ο Ηρακλής, που την ονόμασε Άβδηρα για να τιμήσει τον άτυχο φίλο του Άβδηρο, που τον κατασπάραξαν εκεί τα άλογα του Διομήδη. Ως έμβλημα είχε τον γρύπα και πολιούχο θεό τον Απόλλωνα. Την ακμή της κατά τον 5ο αι. π.Χ. μαρτυρούν η τεράστια δαπάνη που κατέβαλε για τη φιλοξενία του Ξέρξη, η ευρεία κυκλοφορία των νομισμάτων της και ο μεγάλος φόρος που πλήρωνε στην Αθηναϊκή συμμαχία. Ο πληθυσμός της έφτασε τους 22.000 κατοίκους. Το πολίτευμά της ήταν δημοκρατικό, με βουλή και εκκλησία του δήμου. Τρεις από τους νόμους της πόλης είναι γνωστοί: ο πρώτος απαγορεύει την ταφή των πολιτών που σπατάλησαν την πατρική περιουσία, ο δεύτερος ρυθμίζει τις αγοραπωλησίες ζώων και δούλων και ο τρίτος αφορά στην προστασία του πολιτεύματος από τις συνωμοσίες. Γνωστοί Αβδηρίτες υπήρξαν ο διάσημος φιλόσοφος του αρχαίου κόσμου Δημόκριτος, ο σοφιστής Πρωταγόρας, οι φιλόσοφοι Λεύκιππος και Ανάξαρχος, ο φιλόσοφος και γραμματικός Εκαταίος, ο μαθηματικός Βίων, ο ποιητής Νικαίνετος. Οι ανασκαφές έχουν αποκαλύψει τμήματα των τειχών του αρχαϊκού και κλασικού περιβόλου και σπίτια κλασικής, ελληνιστικής και ρωμαϊκής εποχής. Από το θέατρο που αναφέρεται σε επιγραφές του 2ου αι. π.Χ. έχουν διασωθεί ελάχιστα ίχνη. Στα εκτεταμένα νεκροταφεία των Αβδήρων έχουν ερευνηθεί τάφοι διαφόρων εποχών, όπως ταφικά αγγεία, λίθινες και πήλινες σαρκοφάγοι, καύσεις, κιβωτιόσχημοι και κεραμοσκεπείς τάφοι. Οι περισσότεροι απ' αυτούς περιείχαν αξιόλογα κτερίσματα –αγγεία, ειδώλια και κοσμήματα.

Δίκαια. Η γειτονική Δίκαια ήταν αποικία της Σάμου και ιδρύθηκε τον 6ο αι. π.Χ. Υπήρξε σημαντικός εμπορικός σταθμός, καθώς βρισκόταν στο μεγάλο φυσικό λιμάνι του όρμου της Βιστονίδας. Τα ασημένια νομίσματα της πόλης, που κυκλοφορούσαν ως την Αίγυπτο, μαρτυρούν εμπορικές σχέσεις με μακρινές περιοχές.

Στρύμη. Ιδρύθηκε από τους Θασίους τον 7ο αι. π.Χ. στη χερσόνησο της Μολυβωτής, με σκοπό τον έλεγχο και την εκμετάλλευση της πεδινής ενδοχώρας. Πολλές φορές με τους Θασίτες συγκρούστηκαν οι Μαρωνίτες και διεκδίκησαν την κατοχή της πόλης, γιατί βρισκόταν σε χώρο ζωτικό γι' αυτούς. Οι ανασκαφές έχουν αποκαλύψει λείψανα από σπίτια και δρόμους. Με τη διάβρωση του εδάφους από τη θάλασσα έχουν αποκαλυφθεί στην παραλία σήραγγες από ένα σημαντικό τεχνικό έργο-υδραγωγείο, με ρείθρα και φρεάτια που έχουν λαξευτεί στον μαλακό βράχο με σκοπό τη συλλογή νερού για την ύδρευση της πόλης.

Μαρώνεια. Άποικοι από τη Χίο ίδρυσαν στις νοτιοδυτικές πλαγιές του Ίσμαρου τον 7ο αι. π.Χ. τη δεύτερη μεγάλη πόλη της νοτιοδυτικής Θράκης, τη Μαρώνεια. Μυθικός οικιστής της και επώνυμος ήρωας ήταν ο Μάρωνας, ο ιερέας του Απόλλωνα που κατοικούσε στην πόλη των Κικόνων, την Ισμάρα –πόλη που έχει ταυτιστεί με την οχυρωμένη ακρόπολη του γειτονικού υψώματος Άγιος Γεώργιος και

είναι γνωστή για τα κυκλώπεια τείχη, το ανάκτορο και τις μεγαλιθικές της πύλες. Στη Μαρώνεια, οι πιο σημαντικές λατρείες ήταν του Απόλλωνα, του Διονύσου, του Δία και του Μάρωνα. Η οικονομία της πόλης στηρίχτηκε στην αρχή στη γεωργία και την κτηνοτροφία. Η θέση της όμως και η ύπαρξη του λιμανιού οδήγησαν στην ανάπτυξη του εμπορίου και της ναυτιλίας. Ο πληθυσμός της στην περίοδο της ακμής της έφτασε τους 12.000 κατοίκους. Στη Μαρώνεια είχαν γεννηθεί ο ποιητής Σωτάδης, ο ζωγράφος Αθηνίων και ο αγροτικός συγγραφέας Ηγεσίας. Τα σημαντικότερα λείψανα της αρχαίας πόλης που μπορεί να δει κανείς σήμερα είναι τμήματα των τειχών με πύργους, ένα μεγάλο σπίτι με ψηφιδωτό δάπεδο, το ιερό του Διονύσου, τα λατομεία μαρμάρου της κλασικής εποχής και το θέατρο της ελληνιστικής εποχής. Από τις δέκα σειρές εδωλίων του θεάτρου, που ήταν χωρισμένες σε εννέα κερκίδες, σώθηκαν μόνο τρεις. Στα ρωμαϊκά χρόνια, το θέατρο διαμορφώθηκε και χρησιμοποιήθηκε για θηριομαχίες.

Μεσημβρία/Ζώνη. Ιδρύθηκε ανατολικά του Ίσμαρου, κοντά στα Ζωναία όρη, τον 7ο αι. π.Χ. και ανήκει στην Περαία της Σαμοθράκης. Στην ίδια θέση υπήρχε αρχαιότερος θρακικός οικισμός με το όνομα Μεσημβρία. Η νέα πόλη ονομάστηκε Ζώνη, όπως η γειτονική Πολτυμβρία ονομάστηκε Αίνος. Οι ανασκαφές έχουν αποκαλύψει τμήματα των τειχών με πύργους, μια περιτειχισμένη συνοικία, οικοδομικά τετράγωνα με δρόμους, σπίτια και καταστήματα, ιερό της Δήμητρας και ναό του Απόλλωνα. Τα πλούσια ευρήματα από τα νεκροταφεία της αρχαίας πόλης –αττικά αγγεία, ειδώλια και περίτεχνα κοσμήματα– δείχνουν την οικονομική ακμή της και το υψηλό επίπεδο ζωής και πολιτισμού.

Πολύ κοντά στις θρακικές ακτές, το νησί της Σαμοθράκης ήταν γνωστό στην αρχαιότητα ως ένα μεγάλο πανελλήνιο θρησκευτικό κέντρο, όπου μπορούσε όποιος ήθελε να μυηθεί στα μυστήρια των Μεγάλων Θεών. Αιολείς άποικοι από τη Μ. Ασία ή τη Λέσβο εγκαταστάθηκαν το 700 π.Χ. στο νησί, δίπλα σε ένα ιερό προελληνικής λατρείας, και δημιούργησαν μια ισχυρή πόλη-κράτος με αποικίες στις απέναντι θρακικές ακτές. Στα ελληνιστικά και ρωμαϊκά χρόνια, η πόλη και το ιερό της απέκτησαν μεγάλη οικονομική και θρησκευτική δύναμη. Θεωροί και μύστες από πολλές πόλεις της Ελλάδας και της Ασίας πήγαιναν στο νησί για να μυηθούν ή προσέρχονταν για να πάρουν μέρος στις ετήσιες τελετές του καλοκαιριού. Από τα κτίρια του ιερού πιο σημαντικά ήταν το Ανάκτορο, όπου γινόταν η μύηση του πρώτου βαθμού, και το κυρίως Ιερό, όπου γινόταν η μύηση του δεύτερου βαθμού, η «εποπτεία».

Μετά τις εκστρατείες των Περσών στη Θράκη και την Ελλάδα, ο Τήρης, Θράκας ηγεμόνας, υπέταξε άλλα θρακικά φύλα και ίδρυσε το βασίλειο των Οδρυσών. Πρόκειται για την πρώτη προσπάθεια δημιουργίας οργανωμένου θρακικού κράτους. Οι επόμενοι βασιλείς, Σιτάλκης και Σεύθης, ανέπτυξαν πολιτικές και εμπορικές σχέσεις με την Αθήνα, με άλλες ελληνικές πόλεις και με τους Μακεδόνες βασιλείς. Ενδιαφέρθηκαν για την εγκατάσταση των Ελλήνων στις θρακικές περιοχές, για γάμους μεταξύ Ελλήνων και Θρακών, για τη διάδοση της ελληνικής γλώσσας και γενικότερα για τον εκπολιτισμό των υπηκόων τους.

Στα χρόνια του Φιλίππου Β΄ οι περισσότερες περιοχές της Θράκης ανήκαν στο Μακεδονικό βασίλειο. Για τον έλεγχο των περιοχών αυτών και την εξασφάλιση της μακεδονικής εξουσίας ιδρύθηκαν, σε στρατηγικές θέσεις, πόλεις όπως η Φιλιππούπολη, οικισμοί, καθώς και φρούρια όπως αυτά της Καλύβας και της Μυρτούσας στην κοιλάδα του Νέστου. Η συμβολή των Μακεδόνων στη διάδοση του ελληνικού πολιτισμού στη Θράκη υπήρξε σημαντική. Από την εποχή αυτή οι Θράκες άρχισαν να δίνουν στα παιδιά τους, στα χωριά και στις πόλεις τους ονόματα ελληνικά, να ακολουθούν τα ήθη, τα έθιμα και τη θρησκεία των Ελλήνων, να μιμούνται τη ζωή τους και να χρησιμοποιούν την ελληνική γλώσσα. Σημαντικά μνημεία αυτής της εποχής είναι οι χτιστοί τάφοι μακεδονικού τύπου –με δρόμο, προθάλαμο και θάλαμο–, που έχουν αποκαλυφθεί στο Ελαφοχώρι και τα Λαγηνά Έβρου, στα Σύμβολα Ροδόπης και στη Σταυρούπολη Ξάνθης.

Μετά τη μάχη της Πύδνας και τη διάλυση του Μακεδονικού βασιλείου, τη Θράκη είχαν συνεχώς υπό τον έλεγχό τους οι Ρωμαίοι και ουσιαστικά αυτοί διόριζαν τους βασιλείς των Οδρυσών. Το 46 μ.Χ. η Θράκη έγινε ρωμαϊκή επαρχία με πρωτεύουσα την Πέρινθο. Οι Ρωμαίοι αυτοκράτορες ενδιαφέρθηκαν ιδιαίτερα για την επαρχία της Θράκης. Ο Τραϊανός και ο Αδριανός ίδρυσαν νέες πόλεις, όπως η Τόπειρος, η Τραϊανούπολις, η Πλωτινόπολις και η Αδριανούπολις. Οι δρόμοι που κατασκευάστηκαν τότε συνδέσανε τις μεγάλες πόλεις με τη θάλασσα και την κεντρική Ευρώπη. Ανάμεσά τους και η Εγνατία οδός, που εξασφάλισε την ασφαλή διακίνηση ανθρώπων, στρατιωτικών μονάδων και εμπορευμάτων από το Δυρράχιο ως το Βυζάντιο. Δούλος από τη Θράκη ήταν ο Σπάρτακος που το 73-71 π.Χ. ηγήθηκε στην Ιταλία στάσης εναντίον της Ρώμης.

Στα χρόνια της ρωμαιοκρατίας συνεχίστηκε και ολοκληρώθηκε ο εξελληνισμός των Θρακών. Η επικράτηση της ελληνικής γλώσσας ήταν καθολική. Σχεδόν όλες οι επιγραφές που βρέθηκαν από το Αιγαίο ως τον Δούναβη είναι γραμμένες στην ελληνική γλώσσα και πολύ λίγες στην επίσημη –λατινική– γλώσσα του Ρωμαϊκού κράτους.

Με την ίδρυση της Κωνσταντινούπολης, το κέντρο του Ελληνισμού μεταφέρθηκε από την κεντρική και νότια Ελλάδα στη Μακεδονία και τη Θράκη. Το Ανατολικό Ρωμαϊκό κράτος στηρίχτηκε στις δυο μεγάλες δυνάμεις της Ανατολής, τον Ελληνισμό και τον Χριστιανισμό, και μεταμορφώθηκε γρήγορα, λόγω των ελληνικών κατά βάση πληθυσμών του, σε ελληνική αυτοκρατορία. Τη δυναμική παρουσία του Ελληνισμού στο χώρο της Θράκης και της Ιωνίας τον 4ο αι. μ.Χ. βεβαιώνει ο αυτοκράτορας Ιουλιανός, ο υιοίος γράφει: *Οἱ περί τήν Θράκην καί τήν Ἰωνίαν κατοικοῦντες Ἑλλάδος ἐσμέν ἔκγονοι.*

Νίκος Ζήκος

ΒΥΖΑΝΤΙΝΟ ΟΔΟΙΠΟΡΙΚΟ ΣΤΗ ΘΡΑΚΗ

Ἀρχήν δέ τῆς Εὐρώπης ἐγώ τίθημι τήν Θράκην, ἐπεί καί αὐτό τό Βυζάντιον (Κωνσταντινούπολις) τῆς Θράκης ἐστίν μέρος κάλλιστον καί τιμιώτατον.
Κωνσταντίνος Πορφυρογέννητος

Η διέλευση της Εγνατίας (*Via Egnatia*) και άλλων σημαντικών οδών από τη Θράκη και η ίδρυση της Κωνσταντινουπόλεως (330) στο νοτιοανατολικό της τμήμα ήταν δύο πολυσήμαντα ιστορικά γεγονότα όχι μόνο για τη συγκεκριμένη αυτή περιοχή αλλά και για ολόκληρη την αυτοκρατορία. Ανάμεσα στην Κωνσταντινούπολη και τη Θεσσαλονίκη έμελλε η Θράκη να διαδραματίσει σημαίνοντα ρόλο στη χιλιόχρονη ιστορία του Βυζαντίου και να αποτελέσει το βόρειο προτείχισμά του στις πολυάριθμες εχθρικές επιδρομές –των Βησιγότθων (378), των Ούννων (α΄ μισό του 5ου αι.), των Αβάρων (626), των Σταυροφόρων (1204), των Βουλγάρων (1206), των Καταλανών (14ος αι.) και των Οθωμανών (14ος-15ος αι.). Ευτύχησε μάλιστα η Θράκη να αναδείξει την ενδοξότερη αυτοκρατορική δυναστεία, εκείνη των Μακεδόνων (857-1056), που ονομάστηκε έτσι επειδή είλκε την καταγωγή της από την Αδριανούπολη, υπαγόμενη τότε διοικητικά στο θέμα Μακεδονίας.

Μεγάλος αριθμός αρχαίων ελληνικών, ρωμαϊκών και βυζαντινών πόλεων ιδρυμένων στα παράλια και στην ενδοχώρα αποτελούν ένδειξη της διαχρονικής σπουδαιότητας της περιοχής, που διατηρήθηκε ως ενιαίος γεωγραφικά χώρος μέχρι τα τέλη του 19ου αι.

Στην παλαιοχριστιανική περίοδο αποτελούσε ξέχωρη περιφέρεια (*Dioecesis Thraciae*), αποτελούμενη από τις επαρχίες της Ευρώπης, της Ροδόπης, της Θράκης, του Αιμιμόντου, της Μοισίας και της Ελάσσονος Σκυθίας. Οι δύο τελευταίες χάθηκαν γρήγορα για το Βυζάντιο. Η επαρχία της Ευρώπης, που συμπίπτει σε γενικές γραμμές με τη σημερινή ανατολική Θράκη, αποτελούσε τον φυσικό περίγυρο της Κωνσταντινουπόλεως και είχε ένα πλήθος ακόμα από σημαντικές πόλεις όπως η Ηράκλεια, η Σηλυβρία, οι Δέρκοι, η Ραιδεστός, το Πάνιον, ο Γάνος, η Αρκαδιούπολις και η Άπρος. Λίγο βορειότερα βρισκόταν η επαρχία Αιμιμόντου, με σπουδαιότερη πόλη την Αδριανούπολη. Η επαρχία Θράκης, με πρωτεύουσα τη Φιλιππούπολη, εκτεινόταν από τον Αίμο μέχρι τον Έβρο, ενώ η επαρχία της Ροδόπης ισοδυναμούσε σε έκταση με τον χώρο της σημερινής ελληνικής Θράκης.

Από τον 4ο αι. μέχρι την εποχή του Ιουστινιανού Α΄ (527-565) η Θράκη εμφανίζεται ιδιαίτερα πυκνοκατοικημένη. Πηγές της εποχής αυτής –όπως ο *Συνέκδημος* του Ιεροκλέους και το *Περί κτισμάτων* του Προκοπίου– μνημονεύουν την ύπαρξη πάνω από πενήντα πόλεων και διακοσίων φρουρίων.

Από τα τέλη του 7ου αι., και για έναν αιώνα, οι Βυζαντινοί αυτοκράτορες υιοθετούν εποικιστική πολιτική, αποσκοπώντας στη μόνιμη εγκατάσταση στη Θράκη αγροτικών πληθυσμών που μεταφέρονται από διάφορες περιοχές της αυτοκρατορίας.

Στους μεσοβυζαντινούς χρόνους, με την οργάνωση της αυτοκρατορίας σε νέες στρατιωτικές-διοικητικές περιφέρειες (θέματα), η Θράκη διαιρέθηκε στο θέμα των Θρακησίων, που περιλάμβανε μικρή περιοχή γύρω από την Κωνσταντινούπολη, και στο θέμα της Μακεδονίας, που περιλάμβανε τη Μακεδονία και το μεγαλύτερο τμήμα της Θράκης. Η περίοδος των Μακεδόνων υπήρξε για την περιοχή εποχή πολιτικής σταθερότητας και δημιουργίας. Οι πόλεις αναδιοργανώνονται και νέα εκκλησιαστικά κέντρα (επισκοπές) ιδρύονται.

Από τον 13ο αι. και μετά η Θράκη γίνεται θέατρο πολεμικών συγκρούσεων, με αποτέλεσμα να αλλάζει διαδοχικά κυρίους (Λατίνοι, Βούλγαροι, αυτοκράτορες Θεσσαλονίκης και Νικαίας). Με την ανασύσταση του Βυζαντίου από τον Μιχαήλ Η΄ (1261-1282) σημειώνεται μικρή περίοδος ανάκαμψης. Οι εμφύλιοι πόλεμοι και οι δυναστικές έριδες του 14ου αι. –ανάμεσα στους Ανδρονίκους Β΄ και Γ΄ αρχικά και τον Ιωάννη Καντακουζηνό με τον Ιωάννη Παλαιολόγο μετέπειτα (1321-1328, 1341-1347/54)–, συγκρούσεις που διεξήχθησαν σχεδόν αποκλειστικά στη Θράκη, ξέχωρα από τις καταστρεπτικές για την ύπαιθρο συνέπειες έδωσαν και την ευκαιρία στους Οθωμανούς να παρέμβουν στην περιοχή. Από εκεί και μετά ήταν πλέον θέμα χρόνου η κατάκτησή της. Το 1353 καταλαμβάνεται η Τζύμπη, το 1354 το οχυρό της Καλλίπολης, το 1361 το Διδυμότειχο και η Αδριανούπολη, η οποία το 1365 καθίσταται από τον Μουράτ Α΄ (1362-1389) δεύτερη, μετά την Προύσα, πρωτεύουσα των Οθωμανών –προνόμιο που γνώρισε για λίγο και το Διδυμότειχο. Ακολούθησε η κατάληψη της Φιλιππούπολης (1363), της Κομοτηνής (1363/64) και ολόκληρης της περιοχής μετά τη μάχη του Τσέρνομεν (1371). Απομονωμένη και ανίσχυρη η Κωνσταντινούπολη δεν στάθηκε δυνατό να αποφύγει για μεγάλο ακόμη χρονικό διάστημα την Άλωση (1453).

Παρατηρώντας τον «αρχαιολογικό» χάρτη της νοτιοδυτικής Θράκης διαπιστώνουμε την ύπαρξη σημαντικών αρχαίων ελληνικών και ρωμαϊκών πόλεων στα παράλια και στην πεδινή ενδοχώρα (Άβδηρα, Μαρώνεια, Μεσημβρία, Αναστασιούπολις, Μαξιμιανούπολις, Τραϊανούπολις, Πλωτινόπολις), οι περισσότερες από τις οποίες συνεχίζουν τη ζωή τους στους βυζαντινούς χρόνους. Στην ορεινή περιοχή της Ροδόπης έχουν εντοπισθεί αρκετοί βυζαντινοί στην πλειονότητά τους οικισμοί, κάστρα, πανέμορφα πέτρινα γεφύρια που δένουν τις ρεματιές, εκκλησίες και μοναστήρια. Οι έρευνες των τελευταίων χρόνων αρχίζουν να αποδίδουν καρπούς, καθώς μας βοηθούν στη σκιαγράφηση του βυζαντινού προσώπου και χαρακτήρα της περιοχής.

Τόπειρος. Τα τμήματα οχύρωσης που συναντούμε μετά τον οικισμό Παράδεισος, λίγο πριν διαβούμε τη γέφυρα του ποταμού Νέστου, ανήκουν στην πόλη Τόπειρο. Ιδρύθηκε τον 1ο αι. μ.Χ. και έλαβε στην εποχή του Τραϊανού (98-117) τον τίτλο της Ουλπίας. Από τον 5ο μέχρι τον 8ο αι. αναφέρεται ως έδρα επισκοπής. Χαρακτηριστική περιγραφή των τειχών έχουμε από τον ιστορικό Προκόπιο. Η ζωή στην πόλη συνεχίστηκε κατά τους βυζαντινούς χρόνους. Τούτο συμπεραίνεται από την αποκάλυψη εκκλησίας της εποχής αυτής και από τις επισκευές των τειχών στην εποχή των Παλαιολόγων.

Ξάνθεια. Η βυζαντινή Ξάνθεια, έδρα επισκοπής από το 879, αναδεικνύεται στα χρόνια των Παλαιολόγων σε αρχιεπισκοπή αρχικά και σε μητρόπολη αργότερα. Η πόλη ταυτίζεται με ερείπια οχύρωσης που διασώζονται βόρεια της Ξάνθης, στην κορυφή του λόφου. Λόγω της στρατηγικής της θέσης, κατά τον 12ο και 13ο αι. έγινε βάση στρατιωτικών επιχειρήσεων. Έξω και νότια από τα βυζαντινά τείχη υπάρχει το τρίκογχο καθολικό της μονής των Παμμεγίστων Ταξιαρχών, βυζαντινό κτίσμα με πολλές μεταγενέστερες επεμβάσεις. Στην απέναντι κατάφυτη πλαγιά σώζονται οι μεταβυζαντινές μονές της Παναγίας Αρχαγγελιώτισσας και της Παναγίας Καλαμούς, ιδρυμένες σε θέσεις προγενέστερων μονών.

Άβδηρα/Πολύστυλον. Η βυζαντινή πόλη, γνωστή με το όνομα Πολύστυλον, περιορίζεται στον χώρο της κλασικής ακρόπολης δίπλα στη θάλασσα. Στην οχυρωμένη βυζαντινή πόλη ανασκάφηκαν τα τελευταία χρόνια μικρός τρουλλαίος ναός του 11ου-12ου αι., καθώς και ο επισκοπικός της ναός, στο ψηλότερο σημείο του μικρού γήλοφου. Πρόκειται για τρίκλιτη βασιλική του 9ου-10ου αι., τύπου Πρωτάτου, θεμελιωμένη σε προγενέστερη παλαιοχριστιανική βασιλική. Από την τελευταία διατηρείται το οκτάπλευρο βαπτιστήριο. Άλλη τρίκλιτη βασιλική, κοιμητηριακού χαρακτήρα, 6ου-9ου αι., ανασκάφηκε έξω από τα βυζαντινά τείχη, κοντά στη δυτική πύλη της κλασικής οχύρωσης.

Πόροι. Πόλη κτισμένη στο στόμιο της λίμνης Βιστονίδας, κοντά στον σημερινό οικισμό του Πόρτο Λάγο, ήλεγχε τον δίαυλο που ένωνε τη λιμνοθάλασσα με την ανοιχτή θάλασσα, όπως μαρτυρεί και η ονομασία Πόροι (=πέρασμα). Από τη βυζαντινή πόλη αποκαλύφθηκε μεγάλο τμήμα των τειχών, που σώζουν κλίμακες ανόδου στον περίδρομο, καθώς και ο επισκοπικός της ναός, κτίσμα πρώιμου σταυροειδούς εγγεγραμμένου τύπου (10ος αι.). Από μολυβδόβουλλο, που βρέθηκε στην περιοχή, γνωρίζουμε τον επίσκοπο Πόρων Κυριακό (11ος αι.). Ξέχωρα από τον στρατιωτικό της χαρακτήρα, η πόλη ήταν σημαντικό κέντρο οστρεοκαλλιέργειας και μεταπρατικού εμπορίου.

Αναστασιούπολις/Περιθεώριον. Από τις σημαντικότερες πόλεις της Θράκης, κτίσθηκε από τον αυτοκράτορα Αναστάσιο Α΄ (491-518) στον μυχό της Βιστονίδας, για να αντικαταστήσει τον σταθμό της Εγνατίας οδού που σημειώνεται στα ρωμαϊκά οδοιπορικά ως *Stabulo*

Diomedis. Τα τείχη της πόλης, που σώζονται σε όλη τους σχεδόν την περίμετρο, εντυπωσιάζουν τον επισκέπτη. Η κύρια πύλη, που έφερε στο λιμάνι, κτίσθηκε στα χρόνια των Παλαιολόγων, όπως δείχνουν εντοιχισμένες μαρμάρινες πλάκες με χαραγμένα τα μονογράμματά τους. Σημαντικό έργο κοινής ωφελείας είναι το υδραγωγείο της, κτισμένο στα χρόνια του Ιουστινιανού Α΄ (527-565). Στον 13ο αι. η πόλη ερειπώνεται για κάποιο διάστημα και στην εποχή του Ανδρονίκου Γ΄ (1328-1341) ξανακτίζεται, οπότε ο αυτοκράτορας την προσαγορεύει Περιθεώριον.

Μαξιμιανούπολις/Μοσυνόπολις. Ερείπιά της, και συγκεκριμένα τμήματα της οχύρωσής της, σώζονται σε απόσταση 5 χλμ. δυτικά της Κομοτηνής και νότια του σημερινού οικισμού Μίσχος. Η πόλη μέχρι τον 9ο αι. φέρει το όνομα Μαξιμιανούπολις. Από την εποχή αυτή και μετά γίνεται σημαντικό κέντρο, φιλοξενώντας αυτοκράτορες κατά τις εκστρατείες τους. Το 1204, αρχή της περιόδου της Φραγκοκρατίας, παραχωρήθηκε στον Γοδεφρείδο Βιλλαρδουΐνο. Πολλά μαρμάρινα αρχιτεκτονικά μέλη παλαιοχριστιανικών και βυζαντινών χρόνων καθώς και επιγραφές που βρέθηκαν στον χώρο της φυλάσσονται στο Αρχαιολογικό Μουσείο Κομοτηνής. Η πόλη καταστρέφεται στις αρχές του 14ου αι., έτσι ώστε όταν περνά από εδώ ο Ιωάννης Καντακουζηνός (1343) την ονομάζει *πόλιν παλαιάν, ἐκ πολλῶν ἐτῶν κατεσκαμμένην*.

Κομοτηνή/Κουμουτζηνά. Στο κέντρο της σημερινής πόλης σώζεται μικρό τετράπλευρο κάστρο, κτίσμα του αυτοκράτορα Θεοδοσίου Α΄ (379-395), που χρησίμευε κατά την παλαιοχριστιανική περίοδο ως σταθμός της Εγνατίας οδού. Μέσα και γύρω από τον σταθμό αυτό οργανώθηκε στη βυζαντινή εποχή μικρός οικισμός, γνωστός από τις γραπτές πηγές ως Κουμουτζηνά και Κομοτηνά.

Παπίκιον όρος. Από τα σημαντικότερα μοναστικά κέντρα του Βυζαντίου κατά τους 11ο-14ο αι. υπήρξε το Παπίκιον, που ταυτίζεται με το ορεινό τμήμα της Ροδόπης βορειοδυτικά της Κομοτηνής και πάνω από τη Μαξιμιανούπολη. Εδώ κατά καιρούς εμόνασαν επιφανή πρόσωπα της Βυζαντινής αυτοκρατορίας, όπως ο πρωτοστράτωρ Αλέξιος Αξούθ, ο νόθος γιος του αυτοκράτορα Μανουήλ Α΄ σεβαστοκράτωρ Αλέξιος, καθώς και ο ηγεμών των Σέρβων Στέφανος Νεμάνια. Δύο μεγάλες προσωπικότητες της Ορθοδοξίας, ο Γρηγόριος Παλαμάς και ο όσιος Μάξιμος ο Καυσοκαλυβίτης, επισκέφθηκαν τη μοναστική κοινότητα και έμειναν σ' αυτήν για ένα σύντομο χρονικό διάστημα. Η ακμή του μοναστικού κέντρου συμπίπτει με τον 11ο και τον 12ο αι. Πέρα από τα πολυάριθμα ερείπια μονών και άλλων κτισμάτων που έχουν εντοπισθεί στην περιοχή, οι γνώσεις μας για το Παπίκιον εμπλουτίσθηκαν με τις ανασκαφικές έρευνες των τελευταίων χρόνων. Βόρεια από τις κοινότητες Ληνού και Σώστη αποκαλύφθηκαν τρεις μονόχωροι θολοσκέπαστοι ναοί και δύο εκτεταμένα μοναστηριακά συγκροτήματα, με όλα τα προσκτίσματά τους. Τα καθολικά τους κοσμούνται με πολύχρωμα δάπεδα και με εξαίρετα δείγματα τοιχογραφιών, που απηχούν και εκφράζουν την τέχνη και τον πολιτισμό της Κωνσταντινούπολης στην περιοχή.

Γρατιανού / Γρατινή. Λίγο βορειότερα από τον σημερινό οικισμό Γρατινή Ροδόπης σώζονται ερείπια οχύρωσης της εποχής των Παλαιολόγων, που ανήκουν στη γνωστή από πηγές βυζαντινή πόλη Γρατιανού. Μετά την καταστροφή της γειτονικής Μοσυνόπολης, στις αρχές του 14ου αι., η πόλη αναδεικνύεται ως το σημαντικότερο οικιστικό κέντρο της ορεινής Ροδόπης. Στο σημερινό χωριό αποκαλύφθηκε ανασκαφικά βυζαντινό παρεκκλήσι του 13ου αι., ταφικού πιθανόν χαρακτήρα. Ενδιαφέροντα ευρήματα της ανασκαφής είναι ένας αριθμός από χάλκινους σταυρούς και δύο φιαλίδια μύρου προερχόμενα από τη Θεσσαλονίκη.

Μαρώνεια. Σπουδαία πόλη-λιμάνι η Μαρώνεια, παρουσιάζει συνεχή ζωή από την αρχαία εποχή μέχρι τους υστεροβυζαντινούς χρόνους, χωρίς μάλιστα να αλλάξει το όνομά της. Έδρα επισκοπής από τον 4ο αι., αποσπάστηκε από τη μητρόπολη Τραϊανουπόλεως στα μέσα του 5ου αι. και αναδείχθηκε ανεξάρτητη αρχιεπισκοπή. Από τη βυζαντινή πόλη διατηρούνται ικανά τμήματα της οχύρωσης. Αίθριο μεγάλης βασιλικής του 6ου αι., με ψηφιδωτά δάπεδα, αποκαλύφθηκε στη θέση Παλιόχωρα. Δύο ακόμη βασιλικές έχουν εντοπισθεί σε παρακείμενες θέσεις, χωρίς ωστόσο να έχουν ανασκαφεί. Ενδιαφέρον εύρημα αποτελεί τοιχογραφία με παράσταση σταυρού εικονομαχικού τύπου σε κόγχη ναού στη θέση Άγιος Χαράλαμπος. Τρίκλιτη παλαιοχριστιανική βασιλική του 6ου αι., με εγκάρσιο κλίτος, αποκαλύφθηκε ανατολικά της Μαρώνειας, στη θέση Σύναξη.

Τραϊανούπολις. Το σημαντικότερο κέντρο κοινωνικής και εκκλησιαστικής ζωής στη νοτιοδυτική Θράκη και έδρα στρατηγού κατά τους μεσοβυζαντινούς χρόνους. Η πόλη –που δεν έχει ανασκαφεί– βρίσκεται 16 χλμ. ανατολικά της Αλεξανδρούπολης, στον χώρο των ιαματικών λουτρών. Τα τείχη της ανακατασκεύασε ο Ιουστινιανός και εδώ αναγορεύθηκε ο Νικηφόρος Βρυέννιος αυτοκράτωρ το 1076.

Όπως η Μοσυνόπολις, έτσι και η Τραϊανούπολις παρήκμασε στις αρχές του 14ου αι. Στο κέντρο της σώζεται επίμηκες καμαροσκέπαστο κτίριο, η λεγόμενη «χάνα», που εξυπηρετούσε τους ταξιδιώτες από το δεύτερο μισό του 14ου αι. και μετά. Κοντά στη «χάνα» διατηρούνται ερείπια βυζαντινού ναού του 11ου-12ου αι.

Φέρες - Παναγία Κοσμοσώτειρα. Το λαμπρότερο καθολικό βυζαντινής μονής στη νοτιοδυτική Θράκη. Αυτοκρατορικό εγκαθίδρυμα, κτισμένο το 1152 από τον Ισαάκιο Κομνηνό, γιο του αυτοκράτορα Αλεξίου Α΄, με μετακλητούς από την Κωνσταντινούπολη μαστόρους. Οι λαμπρές τοιχογραφίες που διακοσμούν το εσωτερικό είναι έργα πρωτευουσιάνων ζωγράφων. Γύρω από το καθολικό, που περιβάλλεται από ισχυρό περίβολο, αναπτύχθηκε κατά την υστεροβυζαντινή περίοδο οικισμός, γνωστός με το όνομα Βήρα.

Διδυμότειχο. Κέντρο της δυτικής όχθης του Έβρου, σχεδόν απέναντι από την Αδριανούπολη, είναι το Διδυμότειχο, κτισμένο τον 8ο-9ο αι. σε βραχώδη λόφο που περιρρέεται από τον Ερυθροπόταμο, παρακλάδι του Έβρου. Εδώ γεννήθηκε ο Ιωάννης Δούκας Βατάτζης, ο Ιωάννης Παλαιολόγος, αλλά και ο μετέπειτα σουλτάνος Βαγιαζίτ Α΄ και εδώ στέφθηκε αυτοκράτωρ ο Ιωάννης Καντακουζηνός το 1341. Στα ερυμνά και σε εξαιρετική κατάσταση βυζαντινά του τείχη διακρίνεται χαραγμένο το μονόγραμμα του κτήτορά τους Κωνσταντίνου Ταρχανειώτη, άρχοντα της πόλης στα χρόνια του Καντακουζηνού (μέσα 14ου αι.). Τα βυζαντινά τείχη της πόλης είναι κτισμένα ή, καλύτερα, επενδύουν οχύρωση προγενέστερων χρόνων. Μέσα στο κάστρο διατηρούνται εκκλησίες της εποχής των Παλαιολόγων, όπως η Αγία Αικατερίνη και επίμηκες νεκρικό παρεκκλήσι δίπλα στη σημερινή μητρόπολη του Αγίου Αθανασίου.

Κάστρο Πυθίου. Από τα καλύτερα στρατιωτικά αρχιτεκτονήματα του Βυζαντίου, σύμφωνα με τον Γρηγορά κτίστηκε από τον Καντακουζηνό ως προσωπικό του *ταμιεῖον*. Νεότερες έρευνες δενδροχρονολόγησης ανάγουν την ίδρυση του κεντρικού του πύργου στα 1291-1321.

Μια σειρά από άλλα μνημεία, όπως το κάστρο της Νυμφαίας στη Ροδόπη, οι πύργοι του Άβαντα βόρεια της Αλεξανδρούπολης, το σπήλαιο των Αγίων Θεοδώρων στην περιοχή της Κίρκης, διακοσμημένο με τοιχογραφίες του 12ου αι., και οι πύργοι του Φονιά και της Παλαιάπολης στη Σαμοθράκη, αναδεικνύουν τη νοτιοδυτική Θράκη και τον ρόλο που αυτή διαδραμάτισε στα βυζαντινά χρόνια.

Θανάσης Μουσόπουλος

ΤΟ ΜΕΤΑΙΧΜΙΟ ΤΗΣ ΥΣΤΕΡΟΒΥΖΑΝΤΙΝΗΣ ΠΕΡΙΟΔΟΥ
ΚΑΙ ΤΑ ΧΡΟΝΙΑ ΤΗΣ ΟΘΩΜΑΝΙΚΗΣ ΚΥΡΙΑΡΧΙΑΣ

Mεταίχμιο στην ιστορία της Θράκης αποτελεί το διάστημα από τον 13ο ως τον 15ο αι. Η περίοδος αυτή χαρακτηρίζεται από αβεβαιότητα και ανασφάλεια, ερήμωση, επιδρομές, εμφύλιες συρράξεις. Πολλά τραγικά γεγονότα σημάδεψαν όχι μόνο της Θράκης αλλά και του Ελληνισμού γενικότερα την πορεία. Στο μεσοδιάστημα αυτό άλλωστε οριοθετείται η αφετηρία του νέου Ελληνισμού.

Η Φραγκοκρατία (1204-1261) είναι απλώς η αρχή της υποταγής. Τον επόμενο αιώνα ακολουθούν οι ενδοβυζαντινές συρράξεις (1321-1354), που αποδυναμώνουν ιδιαίτερα τη Θράκη. Αυτή ακριβώς την περίοδο αρχίζουν και οι διαδοχικές επιδρομές και κατακτήσεις εδαφών από τους Οθωμανούς, που το 1361 κυριεύουν την Αδριανούπολη, καθιστώντας την κέντρο της παρουσίας τους στην περιοχή. Με εποικίσεις Τουρκομάνων και άλλων πληθυσμών από τα βάθη της Ανατολής αλλοιώνεται η σύνθεση του πληθυσμού, πράγμα που συνεχίζεται και στους επόμενους αιώνες.

Το 1453, με τη Άλωση της Κωνσταντινούπολης, ολοκληρώνεται η υποταγή της Θράκης στους Οθωμανούς. Παρά τις αντικειμενικές δυσκολίες, πάντως, ο Ελληνισμός της Θράκης όχι μόνο επιβιώνει αλλά και αναπτύσσεται, έτσι που γίνεται βασικός ρυθμιστής της οικονομικής ζωής του τόπου· καθώς οι Οθωμανοί θεωρούν ταπεινωτική την ενασχόληση με το εμπόριο και τη γεωργία, οι υπόδουλοι ασχολούνται με αυτά και κάνουν θαύματα.

Ενδιαφέρει να εξετάσουμε την εξέλιξη της σύνθεσης του πληθυσμού στη Θράκη. Όπως αναφέραμε, τους πρώτους αιώνες της Τουρκοκρατίας οι μεταφορές εποίκων από την Ανατολή προσπαθούν να καλύψουν την αποψίλωση των περιοχών αυτών κατά την προηγούμενη περίοδο. Παράλληλα, εξισλαμισμοί –συνήθως βίαιοι– μεταβάλλουν σε αρκετές περιπτώσεις την εθνολογική ταυτότητα των κατοίκων της περιοχής. Οι Μουσουλμάνοι της Θράκης, λοιπόν, προέρχονται από εποίκους Τουρκομάνους και εξισλαμισμένους ντόπιους κατοίκους. Μουσουλμάνοι έγιναν και οι Πομάκοι, που κατοικούν στη Ροδόπη και συνδέονται με τη γη, με τον παραδοσιακό πολιτισμό και με τη γλώσσα τους, η οποία διασώζει ισχυρά –ελληνικά και χριστια-

νικά– στοιχεία της ιστορίας τους. Επίσης μουσουλμάνοι είναι και οι Τσιγγάνοι-Ρωμά που κατοικούν σε διάφορες περιοχές της ενιαίας Θράκης. (Έτσι, από το σύνολο των Μουσουλμάνων που κατοικούν στη σημερινή ελληνική –νοτιοδυτική– Θράκη υπολογίζεται ότι το 50 τοις εκατό είναι τουρκογενείς ή τουρκοφανείς, το 35 τοις εκατό είναι Πομάκοι και το υπόλοιπο 15 τοις εκατό είναι Ρωμά.)

Με βάση στατιστικά στοιχεία του 1878, η τότε ακόμα υπό Οθωμανικό καθευιώς ενιαία Θράκη είχε περίπου δύο εκατομμύρια κατοίκους: 750.000 Έλληνες, 558.000 Μουσουλμάνους, 315.000 Βουλγάρους, 225.000 μέλη άλλων εθνοτήτων και 132.000 ξένους υπηκόους. Εντυπωσιάζει το γεγονός ότι οι περισσότερες πόλεις της Θράκης ήταν κυρίως ή και αποκλειστικά ελληνικές: Φιλιππούπολη, Πύργος, Βάρνα, Σωζόπολη, Μεσημβρία, Αγχίαλος, Αγαθούπολη, Βιζύη, Στενήμαχος. Στην ίδια την Κωνσταντινούπολη το 1843, σε σύνολο 450.000 κατοίκων, οι 120.000 ήταν Έλληνες και το 1878, σε σύνολο 653.000, έφταναν τους 250.000.

Στα δύσκολα χρόνια της Οθωμανικής κυριαρχίας παλιοί θεσμοί αποκτούν για τους Έλληνες ιδιαίτερο βάρος και παίζουν πολυσήμαντο ρόλο· αναφερόμαστε στην κοινοτική οργάνωση και τις συντεχνίες. Οι κοινότητες εξυπηρετούν βέβαια την κεντρική εξουσία, κυρίως ως μηχανισμοί για την αποτελεσματική και ανέξοδη είσπραξη των βαριών φόρων που επιβάλλονται στους υπόδουλους. Πέρα όμως απ' αυτό, οι κοινότητες αναλαμβάνουν αρμοδιότητες στο εσωτερικό των μικρών ή μεγάλων κοινωνικών συνόλων με τα οποία συνδέονται και αναπτύσσουν δραστηριότητες γύρω από την εκπαίδευση, τους χώρους και τις εκδηλώσεις της συλλογικής ζωής, την ασφάλεια, τις συναλλαγές. Τον 19ο αι., παράλληλα με την οικονομική και πολιτιστική ανάπτυξη, οι κοινότητες συντελούν στην καλλιέργεια εθνικής συνείδησης μεταξύ των Ελλήνων Θρακιωτών. Οι συντεχνίες εξάλλου, που έχουν επίσης βαθιές τις ρίζες τους στο χρόνο, την εποχή της Τουρκοκρατίας επιτελούν οικονομικές αλλά και ηθικές, πολιτισμικές και ανθρωπιστικές λειτουργίες.

Στο μεταξύ, τα θρακιώτικα καράβια –κυρίως της Αίνου– φτάνουν ως την Οδησσό, την Αλεξάνδρεια, τη Μάλτα, τη Μασσαλία, ενώ οι Θρακιώτες έμποροι-καραμπατζήδες, που συνδέονται με το κύκλωμα διακίνησης μαλλιού-νημάτων-υφασμάτων-ενδυμάτων, διασχίζουν όλη την Ευρώπη και έρχονται σε επαφή με την κίνηση των νέων ιδεών του Διαφωτισμού. Από αυτούς φτάνουν στην Ευρώπη πληροφορίες για την κατάσταση του θρακικού Ελληνισμού, ενώ από τον 17-18ο αι. πολύτιμα στοιχεία καταγράφουν και οι Ευρωπαίοι που επισκέπτονται τη Θράκη.

Τον 19ο αι. οι Έλληνες καλύπτουν το 70 τοις εκατό της εμπορικής και βιοτεχνικής δραστηριότητας στη Θράκη. Αυτή η οικονομική και κοινωνική άνθηση βρίσκει έκφραση στην εκπαιδευτική και γενικότερη πνευματική άνοδο. Ο 18ος και ο 19ος αι. είναι η εποχή της Θρακικής Αναγέννησης. Παράλληλα φουντώνει η φλόγα της ελευθερίας.

Το αντιστασιακό πνεύμα δεν είχε σταματήσει να εκδηλώνεται σε χωριά και πόλεις όλης της Θράκης από τον 16ο αι. Τραγούδια μιλούν για τους κλέφτες που είχαν κατακλύσει τη Ροδόπη και άλλα απόμερα τμήματα της θρακικής ενδοχώρας. Έτσι, με την ίδρυσή της στις αρχές του 19ου αι., η Φιλική Εταιρεία θα βρει στη Θράκη γόνιμο έδαφος. Τέταρτος Φιλικός, και από τους πρωτεργάτες, θα γίνει ο Θρακιώτης Αντώνιος Κομιζόπουλος –και δεν θα είναι ο μόνος. Και όταν ξεκινάει η Ελληνική Επανάσταση του 1821 πολλοί Θρακιώτες συμμετέχουν σε συγκρούσεις σε όλα τα μέτωπα. Στον ίδιο το χώρο της Θράκης οργανώνονται επαναστατικές κινήσεις και πολλά είναι τα θύματα των εξαγριωμένων Οθωμανών. Θρακιώτες συμμετέχουν και στον κατά θάλασσα αγώνα. Η Αίνος μετέχει με τριακόσια καράβια. Η οικογένεια Βισβίζη, ο Αντώνης και η γυναίκα του Δόμνα –η Μπουμπουλίνα της Θράκης–, με το μπρίκι τους «Καλομοίρα», δίνουν τα πάντα για τη λευτεριά. Κι όταν η Επανάσταση δεν μπορεί να προχωρήσει στη Θράκη, Θρακιώτες και Θρακιώτισσες κατεβαίνουν στη νότια Ελλάδα και αγωνίζονται σύψυχα. Αυτό η Θράκη θα το πληρώσει στα επόμενα χρόνια με ποταμούς αίμα.

Το δεύτερο μισό του 19ου αι. υπήρξε κρίσιμο για τους Έλληνες Θρακιώτες, που ζούσαν στην παρακμασμένη και καταρρέουσα οθωμανική κοινωνία και οικονομία. Ωστόσο τα σχολεία, οι πολιτιστικοί σύλλογοι, οι λόγιοι, οι λογοτέχνες (όπως ο Γεώργιος Βιζυηνός, ο Κώστας Βάρναλης και πολλοί άλλοι και άλλες), καθώς και η έκδοση εφημερίδων, περιοδικών και βιβλίων μαρτυρούν μια συνεχιζόμενη ανάπτυξη.

Ο λαϊκός πολιτισμός, που επιβιώνει, δένει τη νεότερη Θράκη με το αρχαιοελληνικό παρελθόν της. Μουσικά όργανα, μουσική, τραγούδια και οι χοροί που αυτά συνοδεύουν, γιορτές και πανηγύρια ψυχαγωγούν Θρακιώτες και Θρακιώτισσες. Δρώμενα με διονυσιακές ρίζες, ήθη και έθιμα παμπάλαια –όπως τα Αναστενάρια, οι Καλόγεροι, η Τζαμάλα–, με διάφορα ονόματα και παραλλαγές, επιζούν στη θρακικές τους εστίες.

Αλλά και ο λόγιος πολιτισμός αναπτύσσεται. Θέατρο και μελόδραμα, με ελληνικά και ξένα έργα, θίασοι ερασιτεχνών και επαγγελματιών, παραστάσεις αρχαίων ελληνικών τραγωδιών –όλα αυτά στη Θράκη, πριν παρουσιαστούν στην Αθήνα. Και ξένοι περιοδεύοντες θίασοι.

Και βέβαια παντού πρωταγωνιστικός ο ρόλος της γυναίκας, που έχει αρχίσει τον 19ο αι. στη Θράκη να μορφώνεται, να εξελίσσεται, να απαιτεί τα δικαιώματά της. Από τη Θράκη ξεκινούν τα κινήματα των γυναικών που στον 20ό αι. μεταφέρονται στην Αθήνα.

Στο μεταξύ η Θράκη, από το 1850 και μετά, αποτελεί πεδίο αντίπαλων εθνικών διεκδικήσεων. Το 1878 η βόρεια Θράκη, ως Ανατολική Ρωμυλία, κηρύσσεται αυτόνομη ηγεμονία, για να προσαρτηθεί το 1886 στη Βουλγαρία. Οι Έλληνες της περιοχής, που στις παραλιακές πόλεις ιδιαίτερα αποτελούν την πλειοψηφία, φονεύονται ή διώκονται και πολλοί έρχονται πρόσφυγες στην Ελλάδα. Έτσι αρχίζει η Θράκη να διαμοιράζεται. Και οι Μεγάλες Δυνάμεις παίζουν το δικό τους παιχνίδι, παρακολουθώντας ή και καθοδηγώντας τα τεκταινόμενα.

Στην πρώτη εικοσαετία του 20ού αι., παράλληλα με τον Μακεδονικό, διεξάγεται σκληρός αγώνας για τη Θράκη, η οποία γίνεται θέατρο διεθνών πολεμικών συγκρούσεων. Στα 1919-20 η νοτιοδυτική Θράκη –Ξάνθη, Ροδόπη, Έβρος–, που το 1913 είχε παραχωρηθεί από τις Μεγάλες Δυνάμεις στη Βουλγαρία, ενώνεται με την Ελλάδα, ύστερα από 560 χρόνια Οθωμανικής κυριαρχίας. Η ανατολική Θράκη, που είχε περιέλθει επίσης στην Ελλάδα το 1920, στα 1922-23 δίνεται στην Τουρκία. Με την υποχρεωτική ανταλλαγή πληθυσμών, εκατοντάδες χιλιάδες Έλληνες αναγκάζονται να αφήσουν τα σπίτια τους εκεί και να καταφύγουν στη νοτιοδυτική Θράκη και την υπόλοιπη Ελλάδα. Από την ανταλλαγή εξαιρέθηκαν οι Ελληνορθόδοξοι της Κωνσταντινούπολης και των θρακικών νησιών Ίμβρου και Τενέδου και, από την άλλη πλευρά, οι Μουσουλμάνοι της νοτιοδυτικής Θράκης. Ωστόσο, στις δεκαετίες που ακολούθησαν, οι Έλληνες της Πόλης και των νησιών εκδιώχθηκαν με διάφορους τρόπους κι αυτοί από τις εστίες τους, έτσι που να έχουν απομείνει εκεί σήμερα μόλις γύρω στους 2.000. Δεν θα ήθελε κανείς να είναι αυτή η τελευταία πράξη του δράματος.

Στο μεταξύ, στη νοτιοδυτική Θράκη μια καινούργια εποχή έχει αρχίσει.

Θανάσης Μουσόπουλος

ΝΕΑ ΕΠΟΧΗ: ΑΝΤΙΘΕΣΕΙΣ ΚΑΙ ΣΥΝΘΕΣΕΙΣ

Η νοτιοδυτική Θράκη από το Μάη του 1920, που ενώνεται με την Ελλάδα, χαράζει το δρόμο της σ' όλους τους τομείς ακολουθώντας την πορεία της χώρας. Παράλληλα, όμως, λόγω της θέσης της, της σύνθεσης του πληθυσμού, αλλά και του τρόπου οργάνωσης της κεντρικής πολιτικής εξουσίας, η Θράκη παρουσιάζει ιδιορρυθμίες, που ως σήμερα μεταφράζονται σε αρνητικούς οικονομικούς δείκτες αλλά και μεγάλες δυνατότητες ανάπτυξης.

Η άφιξη των προσφύγων από τη βόρεια και την ανατολική Θράκη και τη Μικρασία εμπλούτισε τον ντόπιο πληθυσμό με ομάδες Ελλήνων και Ελληνίδων που κουβαλούν πλούσια και ποικίλη ελληνική παράδοση. Το μωσαϊκό αυτό, από το 1920 ως τις μέρες μας, δεν αξιοποιήθηκε και δεν προβλήθηκε όσο έπρεπε. Τις τελευταίες δεκαετίες, όμως, με τη γενικότερη στροφή προς τις ρίζες, παρατηρείται στη Θράκη ένας οργασμός δραστηριοτήτων για τη διατήρηση των πολιτιστικών χρωμάτων και αποχρώσεων. Σε ποικίλες ευκαιρίες και εκδηλώσεις προβάλλονται οι χοροί, τα έθιμα, η λαϊκή ελληνική τέχνη και παράδοση από τη Θράκη –τη βόρεια, την ανατολική και τη νοτιοδυτική–, από τη Μικρασία, τον Πόντο, την Καππαδοκία, αλλά και αυτή των Αρμενίων, των Πομάκων, των Ρωμά. Και κοντά σ' αυτούς, Έλληνες που κατάγονται από διάφορες άλλες περιοχές –Μακεδόνες, Ηπειρώτες, Θεσσαλοί, Κρητικοί, Κύπριοι– αποτελούν μια επιπλέον ζωντανή παρουσία. Αν προσθέσουμε και τους πιο πρόσφατους Έλληνες πρόσφυγες, από χώρες της πρώην Σοβιετικής Ένωσης και της Χερσονήσου του Αίμου, μπορούμε να δούμε τη Θράκη ως έναν προνομιακό χώρο συνάντησης λαών και πολιτισμών, χώρο συνύπαρξης των βαλκάνιων πολιτισμών ιδιαίτερα.

Ανάμεσα σε δύο ποταμούς, τον Νέστο και τον Έβρο, ανάμεσα στην οροσειρά της Ροδόπης και στο Αιγαίο-Θρακικό πέλαγος, αναπτύσσεται η κοινωνία της σημερινής ελληνικής Θράκης, μοιρασμένη στους νομούς Ξάνθης, Ροδόπης και Έβρου.

Ο ΝΟΜΟΣ ΞΑΝΘΗΣ

Ο νομός Ξάνθης, με 90.000 κατοίκους, κέντρο του έχει την ομώνυμη πόλη Ξάνθη (40.000 κάτοικοι).

Η Ξάνθη (ή Ξάνθεια) αναφέρεται στις πηγές από το 879 μ.Χ. Από μικρό χωριό, στις αρχές του 18ου αι. θα γίνει πόλη περίφημη για τα καπνά της, όπως και η Γενισέα, πρωτεύουσα τότε της περιοχής.

Ο 19ος αι. σημαδεύει την εξέλιξη της Ξάνθης: μετά από καταστροφικούς σεισμούς το 1829, ανοικοδομείται η πόλη, η Παλιά Ξάνθη, που ο πολεοδομικός της ιστός διατηρείται σχεδόν ανέπαφος ως τις μέρες μας. Από το 1860 χρονολογείται η ανάπτυξη της τοπικής Δημογεροντίας. Το 1870 καίγεται η Γενισέα και οι διάφορες υπηρεσίες μεταφέρονται στην Ξάνθη, που γίνεται πρωτεύουσα έχοντας το 1875 10.000 κατοίκους, στην πλειοψηφία τους Χριστιανούς. Η οικονομική, κοινωνική και πολιτιστική ανάπτυξη αποτυπώνεται και στον παραδοσιακό οικισμό της Παλιάς Πόλης, στα σχολεία και τις εκκλησίες της περιόδου αυτής. Το θέατρο «Απόλλων» –που δεν υπάρχει πια– φιλοξένησε τους γνωστότερους Έλληνες και ξένους καλλιτέχνες, ενώ εδώ λειτούργησαν και οι πρώτοι κινηματογράφοι στη Βόρεια Ελλάδα.

Την πρώτη εικοσαετία του 20ού αι., εποχή αλλεπάλληλων πολεμικών συγκρούσεων, σημειώνεται ανακοπή κάθε προόδου, αλλά στον Μεσοπόλεμο ξαναενώνεται το κομμένο σκοινί της ανάπτυξης. Οι καπνεργάτες δίνουν νέο χρώμα στον τόπο. Το 1940 η πόλη έχει 32.000 κατοίκους και μεγάλη ανάπτυξη χάρη στην επεξεργασία και εμπορία του καπνού. Όλοι οι κάτοικοι συμμετέχουν στα αγαθά της προόδου και στην πολιτιστική ανάπτυξη που συνδέεται μ' αυτήν.

Θα ακολουθήσει ο Δεύτερος Παγκόσμιος πόλεμος και η Θράκη θα βρεθεί υπό σκληρή Βουλγαρική κατοχή.

Μετά την τραγική δεκαετία 1940-50, η περιοχή αποψιλώνεται από τα πιο δραστήρια στελέχη της. Η εσωτερική και εξωτερική μετανάστευση και η γενικότερη αδιαφορία του κέντρου για τη Θράκη οδηγούν όχι μόνο σε συρρίκνωση του πληθυσμού της αλλά και σε γενικότερη ραγδαία υποβάθμισή της, έτσι ώστε στη δεκαετία του '80 να αποτελεί την τελευταία σε οικονομικούς δείκτες περιοχή της Ευρωπαϊκής Ένωσης.

Ο πολιτιστικός, όμως, τομέας εξακολουθεί σε πολλά μέρη να ανθεί και, χάρη στην «ιδιωτική πρωτοβουλία», να συνεχίζει τη μεγάλη παράδοση. Στην Ξάνθη από το 1952, οπότε ιδρύεται η Φιλοπρόοδη Ένωση Ξάνθης (ΦΕΞ), πολλά έγιναν στο χώρο του πολιτισμού. Την τελευταία δεκαετία ιδιαίτερο ενδιαφέρον δείχνει και η Τοπική Αυτοδιοίκηση, δημιουργώντας θεσμούς όπου συμμετέχουν και ποικίλοι σύλλογοι της πόλης και των χωριών: Χατζιδάκειο Χορωδιακό Φεστιβάλ (τον Ιανουάριο), Θρακικές Λαογραφικές Γιορτές - Ξανθιώτικο Καρναβάλι (τις Απόκριες), Γιορτές Μαθητικής Νεολαίας (τον Μάιο), Γιορτές Παλιάς Πόλης (αρχές Σεπτεμβρίου). Παράλληλα λειτουργεί το Λαογραφικό Μουσείο Ξάνθης (ΦΕΞ), το Μουσείο Φυσικής Ιστορίας, η Στέγη Γραμμάτων και Καλών Τεχνών Δήμου Ξάνθης (με βιβλιοθήκη σαράντα χιλιάδων τόμων, ωδείο, τμήμα χορού), η Κινηματογραφική Λέσχη της ΦΕΞ (εδώ και 25 χρόνια), όμιλοι παραδοσιακών χορών, χορωδίες, θεατρικά σχήματα, φυσιολατρικές και αθλητικές ομάδες (η ποδοσφαιρική ομάδα «Ξάνθη» αγωνίζεται τα τελευταία χρόνια στην Α' Εθνική).

Η παρουσία Σχολών του Δημοκρίτειου Πανεπιστημίου Θράκης και του Δ' Σώματος Στρατού συνεπάγεται την παρουσία πολλών νέων στη ζωή της πόλης, πράγμα που έχει επιδράσει θετικά στην κοινωνική και πολιτιστική εξέλιξη.

Πνευματικοί άνθρωποι –ντόπιοι λογοτέχνες, ζωγράφοι, μουσικοί, επιστήμονες– ζουν και δημιουργούν στο χώρο της Ξάνθης. Περιοδικά –με κυριότερο το μακρόβιο *Θρακικά Χρονικά* (από το 1960)–, βιβλία, εφημερίδες ημερήσιες, ραδιοφωνικοί και τηλεοπτικοί σταθμοί καλύπτουν και προβάλλουν τα εντόπια δρώμενα με επιτυχία.

Ποικίλοι χώροι διασκέδασης και φαγητού υπάρχουν στην Ξάνθη και στα περίχωρά της, μια και οι Θρακιώτες φημίζονται ως καλοφαγάδες. Καφενεία παραδοσιακά και ταβέρνες υπάρχουν σε πολλά χωριά.

Κατά μήκος όλης της παραλίας του νομού, που λόγω της ύπαρξης υδροβιότοπων προστατεύεται από τη συνθήκη Ramsar, και σε ένα περιβάλλον χωρίς πολλές εγκαταστάσεις, δίνονται θαυμάσιες ευκαιρίες στους λάτρεις της φύσης και της θάλασσας.

Για ορεινό τουρισμό προσφέρεται ο παρθένος ορεινός όγκος της Ροδόπης και τα παρανέστια Στενά, από τη Σταυρούπολη ως το Δέλτα του Νέστου. Φυσική ομορφιά, σπάνια είδη πτηνών και φυτών σε κάθε βήμα.

Από την πληθώρα των αρχαιολογικών χώρων όλων των ιστορικών περιόδων (έχουν εντοπιστεί πάνω από εβδομήντα) ξεχωρίζουν τα Άβδηρα, η πατρίδα του Δημόκριτου και του Πρωταγόρα, με παρουσία διαρκή από την κλασική εποχή. Το Αρχαιολογικό Μουσείο στο χωριό είναι έτοιμο να παρουσιάσει τον πλούτο του τόπου.

Οπωσδήποτε έχει γίνει συνείδηση ότι εκτός από τα έργα υλικής υποδομής, που είναι βέβαια απαραίτητα, χρειάζεται συνολική ανάπτυξη –οικονομική, κοινωνική, πολιτιστική– για την αντιμετώπιση της καθυστέρησης που, παρά τα διάφορα μέτρα, εξακολουθεί να χαρακτηρίζει την περιοχή της Ξάνθης.

Αντώνης Κ. Λιάπης

Ο ΝΟΜΟΣ ΡΟΔΟΠΗΣ

Ο νομός Ροδόπης καταλαμβάνει το κεντρικό τμήμα της σημερινής ελληνικής Θράκης. Πήρε το όνομά του από την ομώνυμη οροσειρά στα βόρεια σύνορά του, τα οποία αποτελούν ταυτόχρονα και τμήμα των εθνικών συνόρων της Ελλάδας με τη Βουλγαρία. Έχει 103.295 κατοίκους (απογραφή 1991) και με έκταση 2.542,5 τ.χλμ. αποτελεί το 1,9 τοις εκατό του συνόλου της χώρας.

Ο νομός Ροδόπης έχει παρουσιάσει χαμηλούς δείκτες ανάπτυξης τόσο σε εθνικό όσο και σε ευρωπαϊκό επίπεδο. Η γεωγραφική απόσταση από τα αναπτυγμένα αστικά κέντρα, ο έντονος αγροτικός χαρακτήρας της περιοχής και η απουσία σύγχρονων υποδομών και ευκαιριών απασχόλησης αποτέλεσαν μερικά από τα πλέον χαρακτηριστικά στοιχεία αυτής της υπανάπτυξης.

Σήμερα όμως αναπτυξιακά έργα που ξεπερνούν τα εθνικά όρια και σχετίζονται με τη γεωπολιτική αξία της περιοχής φαίνεται να ωθούν τον τόπο σε μια ελπιδοφόρα οικονομική περίοδο. Η προοπτική κατασκευής του οδικού άξονα της Εγνατίας, που θα συνδέει την Ευρώπη με την Ασία, οι κάθετοι –από τις χώρες της Χερσονήσου του Αίμου– οδικοί άξονες με τη μεγάλη οικονομική και πολιτισμική αξία, καθώς και η επέκταση του αγωγού φυσικού αερίου από τη Ρωσία μέχρι την πρωτεύουσα Κομοτηνή θα ευνοήσουν την οικονομική ανάπτυξη του νομού. Επιπλέον για τη Ροδόπη, όπως και για όλη τη Θράκη από τη δεκαετία του 1970 και μετά, έχει δημιουργηθεί ένα ευνοϊκότατο πλέγμα αναπτυξιακών κινήτρων, που προσφέρει μοναδικές ευκαιρίες σε Έλληνες και αλλοδαπούς επενδυτές στον τομέα της βιομηχανίας, της βιοτεχνίας και του τουρισμού.

Σ' αυτή την προοπτική εξωστρεφούς οικονομικής δραστηριότητας, που ήδη αναπτύσσεται, η Ροδόπη –όπως και η Θράκη στο σύνολό της– προορίζεται να αποτελέσει την οικονομική και πολιτιστική πύλη προς την ενδοχώρα της Χερσονήσου του Αίμου και τις παρευξείνιες χώρες αλλά και, αντίστροφα, την πύλη εξόδου των χωρών της ανατολικής Ευρώπης προς τη Μεσόγειο θάλασσα.

Αν πάντως η οικονομία της περιοχής αγωνίζεται να εναρμονιστεί με αυτές των άλλων γεωγραφικών διαμερισμάτων της Ελλάδας, δεν συμβαίνει το ίδιο και με τον πολιτισμό και την πλούσια κληρονομιά που γονιμοποιήθηκε σε αυτό το σταυροδρόμι της ιστορίας και των λαών. Η κάθε περίοδος αποτύπωσε ανάγλυφα τα ίχνη της στους αρχαιολογικούς χώρους, στα φρούρια, στη λαϊκή αρχιτεκτονική, στις παραδόσεις και τα τραγούδια του τόπου.

Τη μοναδικότητα του χώρου, ο οποίος βρίσκεται σε μια γεωγραφική και πολιτισμική ζώνη μετάβασης από την Ασία προς την Ευρώπη και αντίστροφα, συνθέτει ουσιαστικά η παράλληλη παρουσία του Χριστιανισμού και του Ισλάμ.

Κάτω από το πέπλο του Ισλάμ προβάλλει η βυζαντινή κληρονομιά των Πομάκων, τα ανατολίτικα στοιχεία των τουρκοφώνων, η ινδική πολυχρωμία των Ρωμά ή Αθιγγάνων (με το μοναδικό για την Ευρώπη Μουσείο Καλαθοπλεκτικής στην Κομοτηνή). Από την άλλη πλευρά, στους αρχαιότερους κατοίκους της περιοχής, τους Έλληνες, προστέθηκαν μετά τη στρατιωτική ήττα της Ελλάδας από τους Τούρκους το 1922, Έλληνες πρόσφυγες από όλα τα σημεία της υπόλοιπης Θράκης και της Μ. Ασίας.

Η περιοχή συγκεντρώνει έτσι μια εξαιρετικά μεγάλη ποικιλία παραδόσεων, που θα μπορούσε να χαρακτηριστεί ως ένα ζωντανό πολιτισμικό μωσαϊκό. Οι έντονες αντιθέσεις όχι μόνο στο θρησκευτικό πεδίο αλλά και ανάμεσα στις επιμέρους πληθυσμιακές ομάδες αντικατοπτρίζονται σε κάθε υλική και προφορική έκφρασή τους.

Τα σπίτια των Πομάκων της ορεινής Ροδόπης παραπέμπουν σε βαλκανική αρχιτεκτονική, ενώ τα αρχοντικά της Κομοτηνής και της Μαρώνειας είναι δείγματα της οικονομικής άνθησης του ελληνικού στοιχείου στα χρόνια της Οθωμανικής κυριαρχίας. Οι παραδοσιακές φορεσιές, που εξακολουθούν να βρίσκονται σε χρήση σε αρκετά σημεία του νομού, οριοθετούν τα πολιτισμικά σύνορα αλλά και τις αλληλεπιδράσεις των πληθυσμών.

Εντυπωσιακός είναι ο πλούτος των παραδοσιακών χορών και των τραγουδιών, που συνοδεύονται κυρίως από τον άσκαυλο (γκάιντα). Στη μελωδία των καθιστικών τραγουδιών της ανατολικής Θράκης συνεχίζεται ακόμη η μακραίωνη παράδοση της βυζαντινής εκκλησιαστικής μουσικής.

Το βυζαντινό χρώμα της Ροδόπης αλλά και το βαθύ θρησκευτικό συναίσθημα των κατοίκων της θα τα συναντήσουμε στις πολλές θρησκευτικές πανηγύρεις που γίνονται σε όλη τη διάρκεια του χρόνου σχεδόν σε κάθε χωριό του νομού. Ξεχωρίζουν οι πανηγύρεις της Μονής Παναγίας Φανερωμένης του Βαθύρρυακα (22-23 Αυγούστου), της Αγίας Μαρίνας του Ιμέρου (16-17 Ιουλίου), της Αγίας Παρασκευής Κομοτηνής (25-26 Ιουλίου).

Από τον μακρύ κατάλογο και την ποικιλία των εθίμων που επιβιώνουν επί αιώνες στη θρακική ύπαιθρο ξεχωρίζουν το έθιμο της Γυναικοκρατίας, το έθιμο των Σεϊμένηδων και των Πιτεράδων αλλά και γιορτές που καθιερώθηκαν σε πιο πολύ νεότερες εποχές, όπως το Καρναβάλι του Δήμου Σαπών.

Η γιορτή της Μπάμπως, ή Γυναικοκρατία, που παραπέμπει σε συμβολισμούς πανάρχαιους, αναβιώνει κάθε χρόνο στις 8 Ιανουαρίου στην Ξυλαγανή, στη Στρύμη, στους Προσκυνητές κ.α. Οι εκδηλώσεις αρχίζουν νωρίς το πρωί, με τους ρόλους των ανδρών και των γυναικών να έχουν αντιστραφεί· οι γυναίκες αναλαμβάνουν όλες τις ανδρικές δουλειές και οι άνδρες τις γυναικείες. Το έθιμο των Σεϊμένηδων και των Πιτεράδων αναβιώνει την περίοδο της Αποκριάς στο χωριό Νέο Σιδηροχώρι. Όμιλοι ανδρών με εθνικές ελληνικές στολές και άλλοι ντυμένοι αποκριάτικα τραγουδούν και ανταλλάσσουν αθυροστομίες. Το έθιμο έλκει την καταγωγή του από τις αρχαιοθρακικές βακχικές γιορτές αλλά παραπέμπει και στην Τουρκοκρατία, οπότε οι Έλληνες έβρισκαν στην περίοδο των Αποκριών την ευκαιρία να τονώσουν με πατροπαράδοτα τραγούδια και δρώμενα το φρόνημα των ομοεθνών τους.

Δημοσθένης Δούκας

Ο ΝΟΜΟΣ ΕΒΡΟΥ

Ο τόπος έλαβε το όνομά του, κατά τον Πλούταρχο, από τον ομώνυμο γιο του μυθικού βασιλέως της Θράκης Κασσάνδρου. Ο Κάσσανδρος χώρισε την Κροτωνίκη και παντρεύτηκε τη Δαμασίππη, η οποία ερωτεύτηκε παράφορα τον προγονό της Έβρο. Αυτός απέρριψε τον έρωτά της κι εκείνη, για να τον εκδικηθεί, τον συκοφάντησε στον Κάσσανδρο ότι αποπειράθηκε δήθεν να τη βιάσει. Ο Κάσσανδρος τον καταδίωξε για να τον σκοτώσει και ο Έβρος έπεσε και πνίγηκε στα νερά του ποταμού Ρόμβου. Από τότε η περιοχή και η ιστορία της ταυτίστηκαν με το όνομα του τραγικού νέου.

Στον Έβρο έδρασε ο ιερεύς, μάντης και πατέρας όλων των αοιδών Ορφέας. Γιος του Απόλλωνα ή του βασιλέως της Θράκης Οιάγρου και της μούσας Καλλιόπης, θέσπισε τα Ορφικά μυστήρια και τις σχετικές ιερές τελετές. Εκεί στου Έβρου ποταμού την όχθη καθισμένοι, όπως έγραψε ο Αριστοφάνης, οι μύστες έβαλαν τα θεμέλια για τη λαμπρή πορεία του Έβρου στο χρόνο και την ιστορία. Μαζί με τα Ορφικά, στον τόπο άνθισε η λατρεία του Βάκχου, του Διόνυσου, και στη Σαμοθράκη εκείνη των Καβείρων. Ο Ορφέας κατέβηκε στον Άδη για να σώσει τη νύμφη Ευρυδίκη, όμως την έχασε οριστικά και κατέληξε νεκρός μαζί με τη λύρα του στα θολά νερά του Έβρου, θύμα της μανίας των Μαινάδων.

Οι αρχαίοι θεωρούσαν τον Έβρο ως τον μεγαλύτερο ποταμό του κόσμου· ο Αλκαίος τον ονόμασε *κάλλιστον ποταμῶν*, ο Ευριπίδης *ἀργυρορρύτην*, ο Πλίνιος *χρυσόρρουν*. Μέχρι σήμερα, ο Έβρος και οι παραπόταμοί του –Άρδας, Ερυθροπόταμος, Τούντζας, Εργίνης– μ' έναν σχεδόν μαγικό τρόπο διατηρούν ανέπαφη και αναλλοίωτη τη μακραίωνη φυσική κληρονομιά του τόπου, για να έχουμε την ευτυχία στα μέρη αυτά να γινόμαστε συνεργοί του θεού, όπως μας κατηχεί ο άγιος Παύλος, να τιμάμε την ύλη, όπως μας προτρέπει ο Ιωάννης ο Δαμασκηνός. Στα 4.242 τ.χλμ. της έκτασης του νομού οι 143.752 κάτοικοί του (απογραφή 1991) υπερασπίζονται με την παρουσία τους έναν τόπο θεογνωσίας, μυστηρίου και κάλλους, έναν χώρο που υποδέχεται ακόμα όσους αποζητούν να εμπλουτίσουν το βίο τους, να νοηματοδοτήσουν το μέλλον.

Το ταξίδι και το βύθισμα στην ιστορία αρχίζει από τη Μεσημβρία, όπου κυριαρχούν τα ερείπια της περίφημης αρχαίας πόλης, και ανατολικότερα τη Μάκρη, με την τρίκλιτη βασιλική της Αγίας Αναστασίας.

Με το καράβι περνάμε ύστερα στην ανεμόεσσα Σαμοθράκη, το νησί της σημερινής ελληνικής Θράκης. Στο όρος Σάος καθισμένος ο Ποσειδώνας παρακολουθούσε τις μάχες της Τροίας, ενώ απ' όλο τον κόσμο κατέφθαναν εδώ προσωπικότητες για να μυηθούν στα μυστήρια των Μεγάλων Θεών. Και ο απόστολος Παύλος ήρθε εδώ, για να μυήσει τους κατοίκους στον Χριστιανισμό. Η Χώρα, η Παλιάπολη, η Παναγία η Κρημνιώτισσα, τα Λουτρά, τ' Αλώνια συνθέτουν ένα Αιγαιοπελαγίτικο εργόχειρο σπάνιας ομορφιάς. Και προσμένουν την επιστροφή της Νίκης.

Ξαναγυρνώντας στη γη του Έβρου, η πρωτεύουσα του νομού, η Αλεξανδρούπολη, μας περιμένει για να φωτοδοτήσει το ταξίδι μας με τον φαρογίγαντά της. Κτισμένη στην περιοχή της αρχαίας Σάλης, απόγονος της ξακουστής Αίνου, σφύζει από ζωή. Με τις πανεπιστημιακές σχολές, το λιμάνι, το αεροδρόμιο, την πολύμορφη πολιτιστική υποδομή και δραστηριότητα, ανοίγει τα φτερά της σε πρωτόγνωρους ορίζοντες.

Λίγα χιλιόμετρα ανατολικότερα, η ρωμαϊκή και βυζαντινή Τραϊανούπολη, γη όπου μαρτύρησε η αγία Γλυκερία· η «χάνα» και τα υπόλοιπα μνημεία θυμίζουν το ένδοξο παρελθόν του τόπου. Βόρεια της Αλεξανδρούπολης μας προσμένουν τα εντυπωσιακά ερείπια των βυζαντινών φρουρίων του Άβαντα, το σπήλαιο των Αγίων Θευδώρων με τις θαυμάσιες τοιχογραφίες του 11ου αι., σκαμμένο μέσα σε βουνό, η γραφική Κίρκη, η Λεπτοκαρυά με τον παραδοσιακό οικισμό των Σαρακατσάνων.

Στο δρόμο προς τον αρχαίο Δορίσκο προσπερνάμε στο Αετοχώρι την ανδρώα μονή του Αγίου Ιωάννου του Θεολόγου, για να συναντήσουμε την πόλη των Φερών, την κληρονόμο της βυζαντινής Βήρας και της αυτοκρατορικής μονής της Παναγίας της Κοσμοσώτειρας· κτισμένη το 1152 από τον σεβαστοκράτορα Ισαάκιο Κομνηνό, διεκδικεί τον τίτλο του «Παρθενώνα της Θράκης». Στο μετόχι της μονής Ιβήρων του Αγίου Όρους, τη μονή της Κοιμήσεως της Θεοτόκου, μία θαυμαστή αδελφότητα γυναικών μοναχών φυλάσσει τη θαυματουργή εικόνα της Παναγίας.

Τα βήματά μας μας οδηγούν στη μεταξένια πολιτεία, το Σουφλί. Το Μουσείο της μετάξης θυμίζει ότι η πόλη υπήρξε κέντρο οικονομικής ανάπτυξης και πολιτισμού. Επόμενοι σταθμοί στο οχυρό Διδυμότειχο και την Πλωτινόπολη. Στη φαντασία μας εικόνες από

Ρωμαίους, Βυζαντινούς, Οθωμανούς, να αγωνίζονται και να δημιουργούν. Το κάστρο του Διδυμοτείχου με τις καστρόπορτες, οι στενοί δρόμοι, οι βυζαντινοί ναοί της Αγίας Αικατερίνης και του Χριστού, το μεγάλο σκηνόμορφο οθωμανικό τέμενος αποζημιώνουν πλούσια τον επισκέπτη.

Λίγο πιο πέρα το Πύθιο με τον πύργο του, καταφύγιο του Ιωάννη ΣΤ' Καντακουζηνού, και το κενοτάφιο του Πατριάρχη Κυρίλλου ΣΤ'. Ο δρόμος ύστερα μας βγάζει στη Νέα Ορεστιάδα. Εδώ ήρθαν πρόσφυγες από την άλλη πλευρά των συνόρων κι έφεραν μαζί τους την ιστορία του Ορέστη, που κυνηγημένος από τις Ερινύες για το φόνο της μητέρας του Κλυταιμνήστρας, μετά από πολλές περιπλανήσεις ήρθε και λούσθηκε στα νερά των τριών ποταμών για να καθαρθεί. Κι ύστερα από ευγνωμοσύνη έχτισε την Ορεστιάδα, την Ουσκουδάμα των Οδρυσών.

Το ταξίδι μας έχει φέρει στο τρίγωνο της μεθορίου, στην περιοχή του Άρδα ποταμού. Εδώ που οι άνθρωποι των συνόρων ζουν με τη μνήμη ζώσα και το χαμόγελο πλατύ. Γιατί ξέρουν τι θα πει χρέος.

Στα θαυμάσια μουσεία της Σαμοθράκης, της Αλεξανδρούπολης, του Σουφλίου, του Διδυμοτείχου, της Νέας Ορεστιάδας, στους πανέμορφους παραδοσιακούς οικισμούς και τα χωριά –Μεταξάδες, Παλιούρι, Χώρα, Αλεποχώρι, Δέρειο, Πετράδες– οι εραστές του αυθεντικού θα βρουν έναν τόπο προσέγγισης των επιθυμιών τους. Πλούτος λαογραφικών και πολιτιστικών εκδηλώσεων και πανηγυριών επιβιώνουν σ' όλη την περιοχή: τα δρώμενα της Καμήλας ή Τζιαμάλας (παραμονή Χριστουγέννων ή Πρωτοχρονιάς), της Μπάμπως ή Μαμής (8 Ιανουαρίου), του Μπέη ή Καλόγερου (Δευτέρα της Τυρινής ή Καθαρή Δευτέρα), του Τρύφωνα, της Σούρβας κ.ά. Στα δρυοδάση του Έβρου επιβιώνει ακόμη ο μυστικισμός των μουσουλμάνων Μπεκτασήδων. Στο σύγχρονο πολιτιστικό γίγνεσθαι εντάσσονται οι πολυποίκιλες πολιτιστικές εκδηλώσεις που οργανώνουν, κυρίως την άνοιξη και το καλοκαίρι, οι δήμοι και οι κοινότητες. Παραδοσιακά φαγητά και προϊόντα, εκδοτική παραγωγή, αθλητισμός που πρωταγωνιστεί, χορωδίες, πολιτιστικοί σύλλογοι, μνημεία συμπληρώνουν τον κατάλογο.

Για τους επισκέπτες που επιδιώκουν μιαν οικολογική προσέγγιση της φύσης, ο Έβρος αποτελεί μία θετική πρόκληση. *Ζωτικότερον γῆς ὕδωρ*, μας υπενθυμίζει ο Αριστοτέλης. Το Δέλτα του Έβρου, ένα οικοσύστημα διεθνούς σημασίας, αποτελεί τόπο διαβίωσης και αναπαραγωγής μεγάλης ποικιλίας ζώων και πτηνών, μερικά από τα οποία τείνουν να εξαφανισθούν. Το περίφημο δάσος της Δαδιάς είναι ο σημαντικότερος βιότοπος για το φώλιασμα είκοσι τριών από τα τριάντα οκτώ είδη αρπακτικών που απαντούν στην Ευρωπαϊκή ήπειρο. Κι ακόμα σπήλαια, λουτρόπηγες και ένα πλήθος από περιοχές ιδιαίτερου φυσικού κάλλους.

Αυτή η ευλογία, στη σημερινή εποχή της κρίσης, κάνει τον Έβρο να μοιάζει ως ο «ανευρεθείς παράδεισος», να φαντάζει στα μάτια και την ψυχή μας ως μία από τις τελευταίες ουτοπίες.

Κώστας Ποϊραζίδης
με τη συνεργασία της Σοφίας Σαμαρά

ΘΡΑΚΗ: ΜΙΑ ΠΕΡΙΗΓΗΣΗ ΣΤΗΝ ΕΠΙΚΡΑΤΕΙΑ ΤΗΣ ΦΥΣΗΣ

Η περιοχή της Θράκης είχε κατά καιρούς διαφορετική έκταση και όρια. Οι οροσειρές όμως της Ροδόπης και του Αίμου και τα παράλια στα νότια και ανατολικά παρέμεναν βασικά γεωγραφικά χαρακτηριστικά της.

Μετά τη διαμόρφωση των συνόρων Ελλάδας-Βουλγαρίας-Τουρκίας, η Θράκη χωρίστηκε σε τρία τμήματα: το βόρειο ανήκει στη Βουλγαρία, το ανατολικό ανήκει στην Τουρκία και το νοτιοδυτικό ανήκει στην Ελλάδα. Ο ποταμός Έβρος αποτελεί το ανατολικό όριο της σημερινής ελληνικής Θράκης, στο βορρά τα όριά της ακολουθούν τις κορυφογραμμές της Ροδόπης, στα δυτικά ο ποταμός Νέστος ορίζει τα πεδινά εδάφη της δίπλα σ' εκείνα της Μακεδονίας, μέχρι που στις εκβολές του, στο νότο, συναντά τη θάλασσα του Αιγαίου, το Θρακικό πέλαγος.

Η ποικιλία βιοτόπων σε αυτή τη γωνιά της Ελλάδας είναι εντυπωσιακή. Παραλιακές ζώνες, υγρότοποι, μεγάλα ποτάμια, κάμποι, δασωμένοι λόφοι και ψηλά βουνά συνυπάρχουν σε μια έκταση μόλις 8.578 τ.χλμ.

Ψηλά, η οροσειρά της Ροδόπης, αρχαιότατη γεωλογικά κι από τις πιο δασωμένες στην Ελλάδα. Από τις κορυφές της, όταν οι καιρικές συνθήκες είναι κατάλληλες, μπορεί το βλέμμα σου να κυλήσει πάνω σε ατέλειωτες αναγλυφές μέχρι τη Σαμοθράκη, το μονάκριβο νησί της σημερινής ελληνικής Θράκης. Πυκνά και μεγάλα δάση πρασινίζουν τις πλαγιές της Ροδόπης. Από τις κορυφές των βουνών της μέχρι τις χαμηλές πλαγιές και τα παράλια εμφανίζονται όλα τα είδη της ευρωπαϊκής βλάστησης, από τα ψυχρόβια δάση μέχρι τη μεσογειακή μακία. Τις ορεινότερες περιοχές καλύπτουν δάση από Οξιά (*Fagus orientalis*), Δασική πεύκη (*Pinus sylvestris*) και Ερυθρελάτη (*Picea abies*). Η Ερυθρελάτη μετανάστευσε στη Ροδόπη από τη βόρεια Ευρώπη και τη Σιβηρία με την εμφάνιση των παγετώνων· από τότε δεν εγκατέλειψε το καταφύγιο που βρήκε στις πλαγιές της φιλόξενης αυτής οροσειράς. Τα είδη που αποτελούν την πανίδα των βουνών είναι πολλά, όμως αρκετά από αυτά δυστυχώς κινδυνεύουν με εξαφάνιση. Η Αρκούδα (*Ursus arctos*), ο Λύκος (*Canis lupus*), το Ζαρκάδι (*Capreolus capreolus*), το Ελάφι (*Cervus elaphus*) και πολλά άλλα ζώα διεκδικούν εδώ το δικαίωμα για ζωή. Δύο από τα ωραιότερα είδη πουλιών του δάσους, ο Αγριόκουρκος (*Tetrao urogallus*) και η Αγριόκοτα (*Bonasa bonasia*) ομορφαίνουν με την παρουσία τους τα βορειοδυτικά βουνά της Θράκης.

Στην παραλιακή ζώνη απλώνεται ένα μεγάλο σύμπλεγμα υγροτόπων. Τα Δέλτα των ποταμών Έβρου και Νέστου, λίμνες γλυκού νερού, αλμυρόβαλτοι, λιμνοθάλασσες και αμμονησίδες αναμιγνύονται μεταξύ τους δημιουργώντας ένα συνεχόμενο οικοσύστημα πολλών χιλιομέτρων, μοναδικό στην Ευρώπη. Οι τέσσερις από τους έντεκα διεθνούς σημασίας υγρότοπους της Ελλάδας, σύμφωνα με τη σύμβαση Ramsar, βρίσκονται στη Θράκη.

Στο Δέλτα του Νέστου υπήρχε μέχρι το 1946 το μεγαλύτερο παρθένο παραποτάμιο δάσος στην Ευρώπη, το Κοτζά Ορμάν, έκτασης 72.000 στρεμμάτων. Σήμερα, μερικά μόνο υπολείμματα μόλις που μπορούν να θυμίσουν τη χαμένη αυτή ομορφιά. Το Δέλτα έχει μετατραπεί σε γεωργικές εκτάσεις και ζώνες για λευκοκαλλιέργειες. Μόνο μια σειρά από υφάλμυρες παράκτιες λιμνοθάλασσες και στενές αμμονησίδες στη θάλασσα έχουν απομείνει. Σημαντικά είδη που αναπαράγονται εδώ είναι η Αγκαθοκαλημάνα (*Hoplopterus spinosus*) –η κατανομή της οποίας στην Ευρώπη περιορίζεται μόνο στους θρακικούς υγρότόπους–, ο Καλαμοκανάς (*Himantopus himantopus*), η Καστανόχηνα (*Tadorna ferruginea*), ο Κολχικός φασιανός (*Phasianus colchicus*) και ορισμένα σπάνια αρπακτικά. Από τα θηλαστικά που εξακολουθούν να ζουν στο Δέλτα σημαντικότερα είναι το Τσακάλι (*Canis aureus*) και η Αγριόγατα (*Felis sylvestris*). Κατά τη μεταναστευτική περίοδο εμφανίζεται μία μεγάλη ποικιλία από πουλιά.

Ανατολικότερα βρίσκεται η λίμνη γλυκού νερού Ισμαρίδα ή Μητρικού, στην οποία αναπαράγεται ο Καπακλής (*Anas strepera*), η Βαλτόπαπια (*Aythya nyroca*) και άλλα είδη, ενώ το χειμώνα εμφανίζονται χήνες, ανάμεσα στις οποίες και η απειλούμενη διεθνώς Νανόχηνα (*Anser erythropus*).

Δίπλα στην Ισμαρίδα και γύρω από το Πόρτο Λάγο απλώνονται εκτεταμένοι υφάλμυροι υγρότοποι. Οι κυριότερες λιμνοθάλασσες εδώ είναι το Λαγός, η Λάφρη, η Λαφρούδα, η Ξηρολίμνη, η Καρατζά, η Μέση, η Πτελέα, το Έλος και η Λίμνη.

Βόρεια από το χωριό Λάγος βρίσκεται η Βιστονίδα, μία από τις μεγαλύτερες λίμνες στην Ελλάδα. Παλιότερα η Βιστονίδα ήταν κι αυτή λιμνοθάλασσα, αλλά με τις προσχώσεις των ποταμών που εκβάλλουν σε αυτή επήλθε το σταδιακό κλείσιμο του ανοίγματός της στη θάλασσα. Σήμερα έχει νερό υφάλμυρο και ζώνες με γλυκό νερό στα βόρεια τμήματά της. Είδη που αναπαράγονται εδώ είναι η Βαλτόπαπια, ο Καλαμοκανάς, η Αβοκέτα (*Recurvirostra avosetta*), η Αγκαθοκαλημάνα κ.ά.

Στο τεχνητό πευκοδάσος στον όρμο του Πόρτο Λάγο μία μεγάλη αποικία από τρία είδη ερωδιών έχει ανακηρυχθεί Μνημείο της Φύσης και έχει περιφραχθεί. Τα μικρά του Σταχτοτσικνιά (*Ardea cinerea*), του Λευκοτσικνιά (*Egretta garzetta*) και του Νυχτοκόρακα (*Nycticorax nycticorax*) απολαμβάνουν σε αυτή την αποικία από το 1986 την ησυχία και την προστασία που τους εξασφάλισαν οι αρμόδιοι κρατικοί και περιβαλλοντικοί φορείς του τόπου.

Η σύνθετη αυτή περιοχή αποκτά μεγαλύτερη σημασία κατά τη μεταναστευτική περίοδο, οπότε εμφανίζεται ο Ροδοπελεκάνος (*Pelecanus onocrotalus*), η Χαλκόκοτα (*Plegadis falcinellus*) και η απειλούμενη διεθνώς Λεπτομύτα (*Numenius tennuirostris*). Τον χειμώνα, χιλιάδες υδρόβια από τις βόρειες χώρες, ανάμεσα στα οποία η Νανόχηνα και το Κεφαλούδι (*Oxyura leucocephala*), αναζητούν καταφύγιο. Το κρύο είναι τσουχτερό την εποχή αυτή στους υγρότοπους. Μία ανεπαίσθητη και ενίοτε πυκνή ομίχλη χαϊδεύει προστατευτικά τα είδη που καταφέρνουν να φτάσουν ως εδώ, κυνηγημένα από τις καιρικές συνθήκες.

Ανατολικότερα, στα σύνορα Ελλάδας-Τουρκίας, το Δέλτα του Έβρου αποτελεί έναν από τους σημαντικότερους υγρότόπους στην Ευρώπη. Το Δέλτα του Έβρου βρίσκεται σε ένα βασικό σταυροδρόμι για τα πουλιά που μεταναστεύουν από και προς την Ευρώπη και την Αφρική. Στο σημείο συνάντησης της Ευρώπης και της Ασίας, προσφέρει έναν πολύτιμο χώρο για ξεκούραση ή αναπαραγωγή σε εκατοντάδες πουλιά και άλλα είδη ζώων, εδώ και αιώνες. Μέχρι πριν από μερικές δεκαετίες, το Δέλτα ήταν ένας πραγματικός παράδεισος της φύσης. Χιλιάδες στρέμματα αδιαπέραστου παραποτάμιου δάσους αναμιγνύονταν με βάλτους και λιμνοθάλασσες. Εδώ φώλιαζαν πολλά είδη ερωδιών και σπάνιων αρπακτικών πουλιών, όπως ο Θαλασσαετός (*Haliaeetus albicilla*) και ο Ψαραετός (*Pandion haliaetus*). Σήμερα, ελάχιστα τμήματα έχουν απομείνει από το παλιό οικοσύστημα, καθώς η μεγαλύτερη έκταση μετατράπηκε σε καλλιέργειες και βοσκότοπους και ο ποταμός, που κάποτε πλημμύριζε και τροφοδοτούσε τους βάλτους με γλυκό νερό, έχει περιοριστεί ανάμεσα σε ευθυγραμμισμένα αναχώματα. Παρ' όλα αυτά, ακόμα και τώρα για πολλά είδη πουλιών το Δέλτα του Έβρου, με τους αλμυρόβαλτους, τις λίμνες και τα νησάκια του, είναι ένας πολύτιμος χώρος αναπαραγωγής, ένας τόπος απέραντης γαλήνης, κοκκινισμένος το φθινόπωρο από το φυτό Αλμυρίθρα (*Salicornia europaea*), που φυτρώνει στα υφάλμυρα νερά. Τους χειμερινούς μήνες, δεκάδες χιλιάδες υδρόβια πουλιά έρχονται εδώ για να βρουν ένα ζεστό και φιλόξενο περιβάλλον που θα δώσει συνέχεια στον κύκλο της ζωής τους. Φωνές από αγριόπαπιες, αγριόχηνες, κύκνους γεμίζουν ασταμάτητα τη σιωπή με χρώμα και ήχους· ίσως κάποτε-κάποτε να εκλιπαρούν για μια πιο αρμονική συμβίωση με τον άνθρωπο. Την άνοιξη και το φθινόπωρο, κατά τη μεταναστευτική περίοδο, το πρόσωπο του Δέλτα αλλάζει. Κάποια άλλα είδη μικρών και μεγάλων πουλιών προσγειώνονται εδώ, ακόμη και για λίγες μέρες ή και ώρες. Έπειτα ξαφνικά, ακολουθώντας μυστικούς κώδικες, απογειώνονται ταυτόχρονα σε σμήνη, με στόχο τον επόμενο σταθμό ξεκούρασης και ανεφοδιασμού. Ανάμεσά τους η απειλούμενη διεθνώς Λεπτομύτα, για τη μετανάστευση της οποίας το Δέλτα του Έβρου είναι η σημαντικότερη περιοχή στην Ευρώπη.

Ανάμεσα στα βουνά της ενδοχώρας και τους υγρότοπους της παραλιακής ζώνης, δεκάδες μικρά και μεγάλα ρέματα και ποτάμια κουβαλάνε γλυκό νερό απ' τα έγκατα της πιο γενναιόδωρης γης. Κι εκεί που χαράζει τις πλαγιές το νερό δημιουργούνται θαύματα. Τα Στενά του Νέστου, ένα βαθύ φαράγγι μερικών χιλιομέτρων, με τις ψηλές ορθοπλαγιές και τις νησίδες τις κατάφυτες από παραποτάμια δάση, έχουν χαρακτηριστεί Αισθητικό Δάσος. Στις απότομες κοιλάδες των ποταμών Κομψάτου και Φιλιούρη, στο νομό Ροδόπης, μέσα σε πυκνά παραποτάμια δάση και δάση από δρυς, αναπαράγονται σπάνια αρπακτικά όπως ο Κραυγαετός (*Aquila pomarina*) και στις ορθοπλαγιές το Όρνιο (*Gyps fulvus*) και ο Χρυσαετός (*Aquila chrysaetos*).

Η ποικιλομορφία και η σπουδαιότητα της θρακικής φύσης αναδεικνύεται ακόμη περισσότερο στις λοφώδεις και ορεινές περιοχές του νομού Έβρου. Εδώ βρίσκεται ο σπουδαιότερος σε όλη την Ευρώπη χώρος ερπετών –συναντάμε σαράντα ένα είδη ερπετών και αμφιβίων. Στο φημισμένο δάσος της Δαδιάς, στην κεντρική περιοχή του νομού, βόρεια από τη Λευκίμμη και νοτιοδυτικά από το Σουφλί, διατηρείται ένας από τους σπουδαιότερους στην Ελλάδα και την Ευρώπη χώρους αναπαραγωγής αρπακτικών πουλιών. Τριάντα έξι από τα τριάντα οκτώ ευρωπαϊκά ημερόβια αρπακτικά έχουν παρατηρηθεί σε αυτό το δάσος και μάλιστα είκοσι με είκοσι τρία είδη από αυτά αναπαράγονται εδώ. Αυτή η μοναδικότητα είναι αποτέλεσμα της εντυπωσιακής ποικιλότητας του τοπίου, όπου γέρικα πευκοδάση Τραχείας και Μαύρης πεύκης (*Pinus brutia* και *Pinus nigra*) αναμιγνύονται με βραχώνες, ορθοπλαγιές, ξέφωτα, καλλιέργειες, ρέματα. Από το 1980 ένα τμήμα της περιοχής προστατεύεται από τις επεμβάσεις που θα έθεταν σε κίνδυνο τα πουλιά. Εδώ είναι και ο μόνος χώρος όπου συναντώνται και τα τέσσερα είδη ευρωπαϊκών γυπών: το Όρνιο, ο Μαυρόγυπας (*Aegypius monachus*), ο Γυπαετός (*Gypaetus barbatus*) και ο Ασπροπάρης (*Neophron percnopterus*). Το πουλί-έμβλημα της Δαδιάς είναι ο Μαυρόγυπας, ο πληθυσμός του οποίου είναι ο τελευταίος σε όλη την ανατολική Ευρώπη. Το δάσος της Δαδιάς είναι και η καλύτερη στην Ελλάδα περιοχή αναπαραγωγής για πολλά άλλα είδη πουλιών, ανάμεσα στα οποία ο Κραυγαετός και ο Μαυροπελαργός, ο αριθμός των οποίων είναι εδώ πολύ μεγάλος, αποτελώντας σχεδόν το ήμισυ του συνολικού ελληνικού πληθυσμού.

Στο βάθος του ορίζοντα, το νησί της Σαμοθράκης αποτελεί συνέχεια της οροσειράς της Ροδόπης. Το βουνό της, Φεγγάρι ή Σάος, υψώνεται ανάμεσα σε θάλασσα και ουρανό μέχρι τα 1448 μ. Στις απότομες πλαγιές του, ανάμεσα σ' αιωνόβια πλατάνια, ξεχύνονται αναρίθμητοι χείμαρροι, δημιουργώντας δεκάδες «βάθρες» με νερό κρύσταλλο, μέχρι που συναντούν το γαλάζιο της θάλασσας. Τις περισσότερες ορεινές περιοχές καλύπτουν λιβάδια όπου βόσκουν τα φημισμένα κατσίκια της Σαμοθράκης. Κατά θέσεις εμφανίζονται αιωνόβια δρυοδάση. Κι αν κοιτάξεις κάποια στιγμή στον αέρα, μπορεί και να δεις τον Σπιζαετό (*Hieraaetus fasciatus*) να ορίζει νοητά με τα γυροπετάγματά του την εκτεταμένη του επικράτεια.

Αγέρωχη η Θράκη, θέλει να τη γυρίσεις, να την περπατήσεις, να δεις από κοντά πώς ζούνε τα χιλιάδες είδη της. Να γνωρίσεις την πιο μυστική πλευρά της πιο πληθωρικής φύσης.

Diamantis Triantaphyllos

THRACE IN ANTIQUITY

The Thrace of the Aegean Sea, of Rodopi Mountain, of the Nestos and the Evros rivers, the Thrace that is a province of modern Greece, is but a small corner of the ancient land which stretched from the Aegean and the Hellespont to the Danube and from the Black Sea to Macedonia. Its geographical position between Europe and Asia and the highways which from ancient times traversed its mountains and its valleys, were decisive factors in the shaping of its long history. Thrace, more than any other region, knew migrations, colonisations, hostile invasions, war and occupation, while at the same time it was subject to the powerful formative influence of neighbouring peoples and cultures.

The first traces of life in this province, the bones of large animals that lived here 3 to 5 million years ago, were discovered in the area of Ormenion and Krios, between the Evros and the Ardas rivers. The forests and the rivers, the abundance of water and vegetation, provided a perfect habitat for animal life, which in its turn attracted the palaeolithic hunters who roamed this land in search of food and who left their mark in the form of the flint tools found in an archaeological survey of the area near the Ardas River in the prefecture of Evros and the Makropotamos River in the prefecture of Rodopi.

During the next period of prehistory, the Neolithic Age, in Thrace as elsewhere began the first major revolution in the life of humankind, as they progressed from hunting/gathering to producing food: they built permanent settlements and devoted themselves to raising crops and animals. The most important Neolithic settlements in south-western Thrace are those at Paradimi and Makri. Excavations brought to light architectural structures and abundant artifacts from the 5th millennium BC, objects which have provided us with valuable information on the life and activities of Neolithic man. The remnants of the houses include mud walls pierced with holes for beams, floors of rooms constantly refabricated, hearths, bake-ovens, refuse pits and grain storage areas. The vessels are hand-made, without a wheel, some monochrome (brown, blackish-brown or reddish-brown), some with their upper parts black, and some with designs in graphite on a black surface or in black pigment on a red surface; they include amphiconical vessels, conical flagons and shallow round or triangular vessels known as "trapezai" with long cylindrical or triangular-section legs.

Most of the clay statuettes are human figures with engraved decoration, entirely similar to those found in settlements in northern and eastern Thrace. Also found were flakes of stone (mostly flint but a few of obsidian), mattocks, hatchets, chisels, mortars, pestles and grinding stones, as well as bone needles, skewers and scrapers. The excavations at Makri yielded information about the Neolithic diet, as traces of foodstuffs including single- and double-grained wheat, barley, yellow peas and lentils, wild fruits and nuts including figs, almonds, grapes and pistachios, as well as the bones of such domesticated animals as sheep, goats and pigs, have been identified. The existence in the settlement at Makri of a central storage area with storage pits and vessels was attributed to the presence of a leader and a central social authority.

The following period, the Bronze Age, began in 3000 BC and was characterized by beehive houses, monochrome vessels with a small number of graven designs and cuneiform decoration, anchor-shaped amulets, distinctive burial methods, etc.

The Middle Bronze Age (2000-1600 BC) in south-western Thrace is known from the finds at Mikro Vouni on the island of Samothrace, with pottery resembling that found at Troy VI and the pottery of the same period discovered at Poliochni on the island of Lemnos. The Minoan seals found together with the vessels are a rare find, and constitute the first indication that the Minoans had developed trade relations with the North Aegean and the Black Sea regions.

The Late Bronze Age (1600-1050 BC) is associated with the dispersal of the Thracian tribes throughout the eastern and southern Balkans. It was during the final decades of this period that they settled in southern Thrace, both in the Rodopi and Ismaros mountains as well as on the plains, as we know from the traces of their settlements. These people were nomadic herdsmen. We can learn much about their life in these mountainous regions and about their cultural level from the monuments and artifacts they left behind. These include fortified citadels, open-air sanctuaries (with ritual niches, cup-marks, altars and engravings into the rock), hewn-out tombs, burial places with megalithic tombs, traces of settlements, pottery with geometric decoration both graven and stamped.

The Thracians and the Greeks shared a common origin, and

hence the two peoples followed a parallel history. Their ancestors once inhabited the same valley in the north. Later, with the great migrations, their paths diverged and they settled in different areas. The language which they had initially shared gradually evolved in different ways, eventually producing two tongues with common roots but different forms. During the historical period, their shared ancestry and the bonds between the two peoples drew them together again and brought about the miracle of the civilization and the Hellenization of the Thracians. The links between the two are reflected in Greek mythology, which includes figures of Thracian origin, the best-known being Eumolpos, Orpheus, Musaeos, Thamyris and Linos. Some of the legends tell the stories of Diomedes, king of the Vistones, Tereas and Prokne, Orpheus and Eurydike, Lykourgos, king of the Hedonoi, Voreas and Oreithyia.

Before the influence of Greek education and culture made itself felt, the Thracians had no written script; we have thus no documentary record of the Thracian dialect. The only evidence we have is that furnished by personal and place names. Everything else we know about the life and culture of the Thracians comes exclusively from the writings of ancient Greek authors, from Greek inscriptions and from ancient Greek art. The entrance of the Thracians onto the historical scene was truly the result of their Hellenization and the powerful influence of the Greek spirit.

The Thracians were divided into numerous autonomous tribes, which may have lived in proximity but which differed widely in character, social structure and cultural level. These differences frequently resulted in armed conflict and population shifts. The names of several Thracian tribes are recorded in the writings of the ancients: between the Nestos and the Evros rivers dwelt (from the west) the Sapaeans, the Vistones and the Kikones. The latter, and their city of Ismaros or Ismara, are mentioned by Homer, for it was there that Odysseus encountered Maron, the priest of Apollo, and accepted his precious gifts.

The founding of Greek colonies on the Thracian coast marked a turning-point in Thracian history. Greek colonists from the eastern Aegean islands and the cities of Asia Minor left their homes, partly for social and political reasons but mostly in search of new sources of wealth in new lands. This led to the founding of cities such as: Avdera, Dikaia, Stryme, Maroneia, Mesemvria / Zone, Drys, Sale and Aenos, all on the Thracian seacoast of the North Aegean; Kardia, Elaeous, Sestos, Krithote and Alopekonnesos in the Thracian peninsula; Perinthos,

Visanthe, Heraion Teichos (the Walls of Hera), Selymvria and Byzantion in Propontis; and Apollonia, Anchialos, Mesemvria, Odessos, Dionysopolis, Kallatis, Tomoi and Istros on the Thracian coast of the Black Sea. Thrace offered the colonists precious metals, abundant timber for their ships and houses, rich farmland, endless grazing land and waters teeming with fish. Initially agricultural communities and trading posts, the colonies soon developed into large and powerful city-states.

Trade relations between the Greeks and the Thracians were close, and covered many sectors. The first trading post in the Thracian hinterland was recently discovered. Located to the west of Philippopolis it was, according to documentary evidence, called Pistyros. Greek merchants sold salt, artisanal wares, pottery and works of art and bought grain, metals, timber and animal products.

This commercial and economic activity brought wealth to the area and created conditions permitting the development of the arts and a more cultured civilization. Many works of Ionian and Attic art, including burial and votive reliefs, statues, vessels, figurines, jewellery and coins, attest to the high artistic level of the colonists. All the colonies rapidly became centres from which Greek civilization began to spread farther afield, spreading throughout the Thracian territories the language, the religion and the culture of the Greeks, and thus initiating the Hellenization of the Thracians. We shall refer briefly to some of the most important centres of Hellenism in south-western Thrace.

Avdera. First settled by colonists from Klazomenai under Timesios (656 BC), the city proper was founded somewhat later by settlers from Teos. Legend has it that the city was founded by Herakles, who called it Avdera in honour of his unfortunate friend Avderos, who had been torn apart on that site by the wild horses of Diomedes. The city's symbol was the griffin, and its patron Apollo. Its prosperity in the 5th century BC is attested by the tremendous sums expended to entertain the Persian king Xerxes, the widespread circulation of its coinage and the size of the levy paid to the Athenian League. The city had a population of 22,000, and a democratic form of government, with an *ekklesia* (assembly of the citizens) and a *Voule* (council of repre-sentatives). Three of the city's laws are known: the first prohibited the burial of citizens who wasted their inheritance, the second regulated the sale of cattle and slaves, and the third was designed to defend the polity against conspiracy. Among the most famous of the city's sons were Demokritos, one of the ancient world's best-known philosophers, the sophist Protagoras, the philosophers Leukippos and Anaxarchos, the philosopher and grammarian Hecataeos, the mathematician Vion and the poet Nikainetos. Excavations have revealed sections of wall from the ancient and classical *enceinte*, as well as houses from the Classical, Hellenistic and Roman eras. Of the theatre mentioned in 2nd century BC inscriptions, only traces have been found. Numerous graves from a variety of periods have been discovered in the extensive burial grounds, including burial vessels, stone and clay sarcophagi, incinerary urns, coffer and tiled tombs. Most contained valuable offerings – vessels, figurines and jewellery.

Dikaia. Nearby Dikaia was a Samian colony, founded in the 6th century BC. It was an important trading post, built on the fine natural harbour of the bay of Vistonis. Silver coins from Dikaia have been found as far afield as Egypt, an indication of commercial relations with distant places.

Stryme. Situated on the Molyvote peninsula, Stryme was founded by Thasian colonists in the 7th century BC for the purpose of controlling and exploiting the fertile plains of the hinterland. The city was a bone of contention between the Thasians and the Maroneians, who frequently tried to seize it, located as it was in an area of vital importance to them. Excavation has brought to light the remains of houses and streets. Erosion along the seacoast has revealed what is left of an impressive technical work, a water system, with shafts and conduits excavated in the soft rock to collect water to supply the needs of the city.

Maroneia. Built by 7th century colonists from Chios on the southwestern slopes of the Ismaros, Maroneia became the second-largest city in south-western Thrace. Legend names as its founder Maron, a priest of Apollo who lived in Ismara, the city of the Kikones identified as the fortified citadel built on the nearby heights of Agios Georgios and well-known for its Cyclopean walls, its palace and its megalithic gates. The most important cults in Maroneia were those of Apollo, Dionysos, Zeus and Maron. The city's economy was initially based on the agriculture and animal-farming, but its location and the existence of a port rapidly transformed it into a trading and shipping centre. At the height of its prosperity it probably had a population of about 12,000. Maroneia was the birthplace of the poet Sotades, the painter Athenion and the pastoralist Hegesias. The most important relics of the ancient city still visible today are sections of its walls, with towers, a large villa with a mosaic floor, the sanctuary of Dionysos, the marble

quarries from the Classical period, and the Hellenistic theatre. Of the ten tiers of seats in the theatre, which were divided into nine sections, only three remain. During the Roman period the theatre was adapted for use for gladiatorial contests featuring wild beasts.

Mesemvria / Zone. Founded to the east of the Ismaros, near the Zonaia mountains, in the 7th century BC, the colony belonged to the Samothracian city of Peraia. Built on the site of an earlier Thracian settlement called Mesemvria, the new city was renamed Zone, just as nearby Poltymvria was renamed Aenos. Excavations have brought to light sections of the city wall with towers, a walled quarter, a grid of streets forming blocks of shops and houses, a sanctuary of Demeter and a temple of Apollo. The abundant and valuable finds in the city's burial grounds – Attic vessels, figurines and intricate jewellery – attest to the prosperity of the city and the cultural level and quality of life of its inhabitants.

Lying close off the Thracian coast, the island of Samothrace was celebrated in antiquity as one of the major cult centres of the Hellenic world, a place where devotees could be initiated into the mysteries of the Great Gods. Aeolian colonists from Asia Minor or Lesvos settled there in 700 BC, next to a sanctuary devoted to a pre-Hellenic cult, and created a powerful city-state with colonies along the coast of the Thracian mainland opposite. During the Hellenistic and Roman eras, the city and its sanctuary wielded tremendous economic and religious might. Official representatives and devotees from many cities in Greece and Asia travelled to the island to be initiated, or simply to attend the annual summer rites. Of the buildings in the sanctuary the most important is the Anaktoron (Palace), the site of initiations into the first degree, and the Hieron, where initiations into the second degree, the "*epopteia*" (inspectorate) took place.

In the wake of the Persian campaigns in Thrace and Greece, the Thracian leader Teres subjugated other Thracian tribes and established the kingdom of the Odrysoi. This was the first attempt at the creation of an organized Thracian state. His successors, Sitalkes and Seuthes, cultivated political and economic relations with Athens, with other Greek cities and with the Macedonian kings. They encouraged Greek settlement in Thracian territories, marriages between Greeks and Thracians, and the propagation of the Greek language and culture among their subjects.

By the time of Philip II, most of Thrace belonged to the Macedonian kingdom. To keep order in these areas and to entrench Macedonian authority, strategic sites were selected for the founding of cities (e.g. Philippopolis), towns, and forts, such as the ones at Kalyva and Myrtousa in the Nestos valley. The contribution of the Macedonians to the propagation of Greek culture in Thrace was significant. It was from that time that Thracians began to bestow Greek names on their children, their villages and their cities, to adopt Greek manners, customs and religion, to use the Greek language and to imitate the Greek way of life. The most important monuments from this period are the masonry tombs of the Macedonian type – with corridor, ante-chamber and principal chamber – discovered at Elafohori and Lagina (prefecture of Evros), Symvola (prefecture of Rodopi), and Stavroupoli (prefecture of Xanthi).

After the Battle of Pydna and the dissolution of the Macedonian kingdom, Thrace was continually under the rule of the Romans, who in practice appointed the kings of the Odrysoi. In AD 46 Thrace became a Roman province, with its capital at Perinthos. The Roman emperors took a particular interest in Thrace: Trajan and Hadrian founded new cities there – Topeiros, Traianopolis, Plotinopolis, Adrianopolis et al. – and built highways linking the province's principal cities with both Central Europe and the sea. One of these highways was the Via Egnatia, which permitted the safe movement of people, merchandise and military formations from Dyrrhachium to Byzantion. The legendary Spartacus, who led a rebellion in Italy in 73-71 BC against Rome, was a Thracian slave.

Throughout the period of Roman rule the Hellenization of the Thracians continued. The use of the Greek language was universal. Almost all the inscriptions that have been discovered, from the Aegean to the Danube, are in Greek, with only a very few in the official Latin of the Empire.

With the founding of Constantinople, the heart of the Hellenic world moved from central and southern Greece to Macedonia and Thrace. The East Roman Empire was based on the two major forces of the East, Hellenism and Christianity, and because its people were mainly Greeks, it quickly became a hellenic empire. The dynamic force of Hellenism manifest in 4th century Thrace and Ionia permitted Emperor Julian to write: *We who live in Thrace and Ionia are children of Greece.*

Nikos Zikos

A BYZANTINE RAMBLE THROUGH THRACE

Europe begins in Thrace, for there lies Byzantium (Constantinople), its fairest and noblest city.
Constantine Porphyrogenitus

The opening of the Via Egnatia and other highways through Thrace and the founding in its south-eastern corner of the city of Constantinople (330) were two events which were to have a profound impact not only on the immediate region but on the entire Empire.

Lying between Constantinople and Thessaloniki, Thrace was to play an important role in the thousand year history of Byzantium, and to serve as its northern bulwark against successive waves of hostile incursion: Visigoths (378), Huns (first half of the 5th century), Avars (626), Crusaders (1204), Bulgarians (1206), Catalans (14th century) and Ottoman Turks (14th-15th century). Thrace also provided the Empire with its most glorious imperial dynasty, known as the Macedonian (857-1056) because the city from which it sprang, Adrianople, belonged to what was then the administrative *theme* of Macedonia.

The numerous ancient Greek, Roman and Byzantine cities founded along its shores and scattered through its interior attest to the importance of this area across the centuries, a region which maintained its geographical unity until the end of the 19th century.

During the Early Christian period it formed a separate administrative region (*Dioecesis Thraciae*), comprising the *eparchies* of Europe, Rodope, Thrace, Aimimontos, Moesia and Scythia Inferior. The two latter were soon lost to Byzantium. The *eparchy* of Europe, more or less coinciding with today's eastern Thrace, lay immediately adjacent to Constantinople and had a host of other important cities –Herakleia, Selyvria, Derkoi, Raedestos, Panion, Ganos, Arkadiou-polis and Apros. Slightly to the north lay the *eparchy* of Aimimontos, whose principal city was Adrianople. The *eparchy* of Thrace, with its capital at Philippopolis, stretched from the Aimos mountain range to the Evros River, while the *eparchy* of Rodope corresponded to today's south-western Thrace. From the 4th century to the reign of Justinian (527-565) Thrace seems to have been particularly well-populated.

Contemporary sources from this period, such as Hierocles' *Synekdemos* and Procopius' *De Aedificiis*, record the existence of more than fifty cities and two hundred fortresses.

For a century after the end of the 7th century, the Byzantine emperors pursued a policy of settlement, aiming at the permanent population of Thrace by farming communities transplanted from other parts of the Empire.

In the mid-Byzantine years, with the re-organization of the Empire into new military and administrative units (*themes*), Thrace was divided into the *theme* of the Thracians, which included a small area around Constantinople, and the *theme* of Macedonia, comprising Macedonia and most of Thrace. The period of the Macedonian dynasty was one of political stability and progress for the region, and a time when its cities reorganized themselves and new ecclesiastical centres (bishoprics) were established.

From the 13th century on Thrace became a battlefield, falling in turn to a succession of different masters (Latins, Bulgarians, the emperors of Thessaloniki and Nikaea). With the restoration of the Byzantine Empire under Michael VIII Palaeologos (1261-1282), the area began to recover, but this respite was to prove short-lived.

The civil wars and dynastic battles of the 14th century, initially between Andronicus II and Andronicus III and later between John (Ioannes) V Palaeologos and John (Ioannes) VI Kantacouzenos (1321-1328, 1341-1347/54), which were waged almost exclusively in Thrace, did more than lay waste the countryside: they gave the Ottoman Turks the opportunity to step in. From that point on it was just a matter of time. Tzymbe fell in 1353, the stronghold of Gallipoli in 1354, Didymoteichon and Adrianople in 1361. The latter in 1365 was made the Ottoman's second capital city (after Bursa) by Murad I (1362-1389). (Didymoteichon also enjoyed this state for a short period.) Philippopolis fell in 1363, Komotini in 1363/64, and by the time the Battle of Chernomen (1371) was over, the entire area was in Ottoman hands. Isolated and stripped of its power, Constantinople could not long stave off defeat, finally falling in 1453.

A glance at the "archaeological" map of south-western Thrace shows numerous important ancient Greek and Roman cities along the coast and on the plains of the interior (Avdera, Maroneia, Mesemvria, Anastasioupolis, Maximianopolis, Traianopolis, Plotinopolis), most of which continued to exist through the Byzantine era. The traces of the past that have come to light in the mountainous regions of Rodopi have, for the most part, been of Byzantine origin: settlements, citadels, churches, monasteries, and beautiful stone bridges across its tumbling streams. The archaeological research that has been carried out here is beginning to bear fruit, permitting us to trace the features of the Byzantine character of this region.

Topeiros. The remains of the fortifications we encounter after the village of Paradisos, shortly before crossing the bridge over the Nestos, belong to the city of Topeiros. Founded in the 1st century AD and given the title of *Ulpia* during the reign of Trajan (98-117), it is referred to as an episcopal see from the 5th to the 8th century. Its walls were described by the historian Procopius. That the city continued to exist until well into the Byzantine era is proven by a church dating from that period and by the fact that its walls were restored during the Palaeologan period.

Xantheia. Byzantine Xantheia, an episcopal see from 879, an archbishopric and then the seat of a Metropolitan during the Palaeologan period, is identified with the remains of ruined fortifications on the hilltop to the north of the present-day town of Xanthi. Its strategic location designated it as a military headquarters during the 12th and 13th centuries. Outside and to the south of the Byzantine walls lies the three-apsed church of the Pammegiston Taxiarchon monastery, a Byzantine structure with numerous later additions. On the well-wooded slope opposite are two post-Byzantine monasteries, Panagia Archangeliotissa and Panagia Kalamou, built on the sites of earlier monastic foundations.

Avdera / Polystylon. The Byzantine city known as Polystylon was confined to the area of the Classical acropolis overlooking the sea. Excavations in the Byzantine city have recently unearthed a small domed church dating from the 11th-12th century, as well as the cathedral church, on the summit of the little hill. The cathedral is a 9th-10th century three-aisled basilica of the Protaton type, built over the ruins of an Early Christian basilica, of which an octagonal baptistery still remains. Another three-aisled basilica, dating from the 6th-9th century, which has been found outside the Byzantine walls, near the western gate of the classical fortifications, seems to have been the chapel of a cemetery.

Poroi. Built at the narrows of Lake Vistonis, near the present-day village of Porto Lagos, this town controlled the channel leading from the lagoon to the open sea – its name in fact means "passage". Of the Byzantine city much of the encircling wall has been discovered, with some of the steps leading up to the ramparts; the cathedral, an early inscribed cruciform church (10th century), has also been identified. A lead seal found in the area tells us that in the 11th century one Kyriakos was bishop of Poroi. A military base and a market town, Poroi was also famous for its oyster beds.

Anastasioupolis / Peritheorion. One of the most important cities in Thrace, Anastasioupolis was built by the Emperor Anastasios I (491-518) at the end of Lake Vistonis to replace the way station on the Via Egnatia marked in Roman travellers' accounts as Stabulo Diomedis. The city walls, which are largely intact, are most impressive. The principal gate, leading to the harbour, dates from the period of the Palaeologoi, as is evidenced by marble plaques graven with their monograms set into the walls. The city's aqueduct, an important piece of civil engineering, was built during the reign of Justinian (527-565). At some point during the 13th century the city fell into disrepair; rebuilt during the reign of Andronicus III (1328-1341), it was also renamed Peritheorion.

Maximianopolis / Mosynopolis. The ruins of this city's fortifications may be seen about 5 kilometres west of Komotini, to the south of the present-day village of Mishos. Called Maximianopolis until the 9th century, from then on it developed into an important centre, and a stopping-place for the emperors on their military campaings. In 1204, at the beginning of the Frankish interregnum, the city was ceded to Godefroi Villehardouin. Numerous inscriptions and marble architectural remnants from the Early Christian and Byzantine periods have been found, and are on display in the museum in Komotini. The city was destroyed in the early years of the 14th century, so that to Ioannes Kantacouzenos, when he came that way in 1343, it was *an ancient city, and long in ruins.*

Komotini / Koumoutzena. Still standing in the centre of the present-day city is a small square fort built by Theodosius the Great (379-395), which during the Early Christian period was a staging post on the Via Egnatia. Written sources tell us that the small settlement which grew up within and around this post during the Byzantine era was known as Koumoutzena and Komotena.

Mount Papikion. One of the Byzantine Empire's most important monastic centres from the 11th to the 14th century was the Papikion, the mountainous area of Rodopi lying to the north-west of Komotini and above Maximianopolis. Within its foundations sought retreat from time to time numerous exalted personages, including the *protostrator* (chief equerry) Alexios Axouth, the *sevastocrator* (deputy sovereign) Alexios, an illegitimate son of the Emperor Manuel I Komnenos, and

the Serb ruler Stefan Nemanja. Two of Orthodoxy's great figures, Gregorios Palamas and Maximos Kausokalybites, also visited the community and spent short periods of time there. This area reached the peak of its prominence between the 11th and 12th centuries. Apart from the many ruins of monasteries and other buildings in the area, our knowledge of the Papikion has been extended by the excavations carried out in recent years, which have brought to light, to the north of the villages of Linos and Sostis, three single-chamber domed churches and two extensive monasterial complexes, complete with all the necessary outbuildings. The decoration of the monasterial churches includes colourful floor paving and extremely fine frescos, reflections and expressions of the art and culture of Constantinople.

Gratianou / Gratini. A little to the north of the present-day village of Gratini, in the prefecture of Rodopi, stand the ruins of fortifications dating from the Palaeologan period. These once protected a city called by Byzantine writers Gratianou. After the destruction of the neighbouring city of Mosynopolis in the early 14th century, Gratianou became the most important urban centre in the mountainous region of Rodopi. Excavations in the present-day village have brought to light a 13th century Byzantine chapel, probably a funeral monument. Interesting artifacts found in these excavations include a number of copper crosses and two vials of holy ointment from Thessaloniki.

Maroneia. One of the few ancient cities in this region which never changed its name, Maroneia retained its importance both as a city and as a port from antiquity right through to the late Byzantine period. The seat of a bishopric in the 4th century, Maroneia was severed from the metropolitan see of Traianopolis in the mid-5th century and raised to the status of an independent archbishopric. Of the Byzantine city substantial sections of the fortifications are still standing. The atrium of a large 6th century basilica with mosaic floors has been discovered at Paliohora. Two more basilicas have been located in nearby areas, but have not yet been excavated. One interesting find was a fresco depicting a cross of the iconoclastic type in the apse of a church at Agios Charalambos. A 6th century three-aisled Early Christian basilica with a transept has been discovered to the east of Maroneia, at Synaxis.

Traianopolis. The most important centre of social and ecclesiastical life in south-western Thrace, and a military divisional headquarters throughout the middle Byzantine period. The city, which has not been excavated, lies 16 kilometres to the east of Alexandroupoli, in the area of the mineral baths. Its walls were rebuilt by Justinian, and it was here that Nicephorus Bryennius was proclaimed emperor in 1076. Like Mosynopolis, Traianopolis fell into decline in the early 14th century. In the centre of the city one can still see an oblong, arched-roofed building known as the *hana*, which provided a resting-place for travellers from the mid-14th century on. Near the *hana* stand the ruins of an 11th-12th century Byzantine church.

Pherai - Panagia Kosmosoteira. The most magnificent Byzantine monasterial church in south-western Thrace, this was an imperial establishment dedicated to the Virgin Saviour of the World, and was built in 1152 by Isaac (Isaakios) Komnenos, the son of Alexios I, using craftsmen brought from Constantinople. The splendid frescos which adorn the interior of the building are obviously the work of artists from the capital. Around the church, which is enclosed by a strong encircling wall, there grew up during the late Byzantine period a settlement known as Vera.

Didymoteichon. On the western bank of the Evros River, almost opposite Adrianople, is the town of Didymoteichon, built in the 8th-9th century on a rocky eminence encircled by the Erythropotamos, a tributary of the Evros. This was the birthplace of John (Ioannes) Doucas Batatzes, Ioannes Palaeologos, as well as Sultan Bayazid I. The town

was also the site of the coronation of Ioannes Kantacouzenos in 1341. On its attractive and exceptionally well-preserved Byzantine walls, can be distinguished the monogram of their patron, Konstantinos Tarchaneiotes, a nobleman of the city in the mid-14th century, when Kantacouzenos was emperor. The Byzantine walls replaced, or rather redoubled, an older line of fortifications. Within the walls one can still see churches dating from the Palaeologan period, including the church of Agia Aikaterini and an oblong funeral chapel adjacent to the present-day cathedral of Agios Athanasios.

Pythion Castle. One of the finest examples of military architecture in the Byzantine world, this building according to Gregoras was erected by Ioannes Kantacouzenos as his own personal *tameion* (treasure-house). Recent research based on dendrochronology, however, indicates that the central keep was built somewhere between 1291 and 1321.

These, and a whole series of other monuments, such as the fortress at Nymphaia (Rodopi), the fortress of Avantas north of Alexandroupoli, the Agioi Theodoroi caves near Kirki with their 12th century frescos, and the Palaeapolis and Fonia towers in Samothrace, still speak to us of the role south-western Thrace played in the Byzantine era.

28

Thanasis Mousopoulos

THE TURNING-POINT OF THE LATE BYZANTINE PERIOD AND THE YEARS OF OTTOMAN RULE

The period from the 13th to the 15th centuries was a watershed in the history of Thrace. It was a time of uncertainty and insecurity, a time of depopulation, invasion and civil strife. Many tragic events left their mark on Thrace, and indeed on the entire Hellenic world. This period, in fact, marks the beginnings of modern Hellenism.

The Frankish occupation (1204-1261) was merely the beginning of a period of subjugation. The following century was wracked by intraByzantine strife (1321-1354), which affected Thrace in particular. This too was the period when the Ottoman Turks began their invasions, seizing and occupying towns and lands. In 1362 they took Adrianople, which promptly became the focal point of their presence in the region. The population structure was altered as Turkmen and

other population groups from the depths of Asia were brought in to colonize the conquered territories; this was to continue for several centuries.

With the fall of Constantinople in 1453, the Ottoman control of Thrace was complete. Despite all the objective difficulties, however, the Greek population managed not only to survive but also to develop, becoming the basic agent of the economic life of the area: in the face of the Ottoman conviction that agriculture and commerce were demeaning pursuits, these were therefore pursued by the subject population who worked miracles.

It is interesting to follow the evolution of the population structure in Thrace. As we have noted, during the first centuries of Ottoman rule, settlers were brought in from the east to repopulate areas left desolate in the previous historical period. At the same time, conversions to Islam – frequently forced – in some cases altered the ethnological identity of the inhabitants of the region. The Muslims of Thrace, therefore, are the descendants of Turkmen settlers and Islamicised native populations. Among the converts to Islam were the Pomak people, who live in Rodopi and who are closely linked with their land, their traditional culture and their language, which has preserved very vividly numerous traces of their Hellenic, and Christian, history. Other converts were the Rom, or Gypsies, who live in various parts of historical Thrace. (Of the total Muslim population of south-western Thrace, ie the present Greek province, it is estimated that 50% are Turkish by origin or assimilation, 35% are Pomaks and 15% are Rom.)

On the basis of figures from 1878, when Thrace under Ottoman rule was still unified, it had a population of approximately 2 million: 750,000 Greeks, 558,000 Muslims, 315,000 Bulgarians, 225,000 of other origins and 132,000 foreign nationals. It is striking that most of Thrace's cities were exclusively or predominantly Greek: Philippopolis, Pyrgos, Varna, Sozopolis, Mesemvria, Anchialos, Agathoupolis, Vizye, Stenimachos. Constantinople itself had a sizable Greek community: in 1843, of a total population of 450,000, the Greeks numbered 120,000, while by 1878 their numbers had grown to 250,000 out of a total of 653,000.

During the difficult years of the Ottoman rule, certain older institutions acquired particular significance for the Greeks, and played an increasingly important role in their lives: these were their communal organizations and the guilds.

While the communal organizations served the central authorities, of course, particularly as efficient and unpaid collectors of the heavy taxes levied on the subject populations, they also assumed numerous functions within the population groups, large or small, with which they were associated, and developed a variety of activities in such sectors as education, the premises and manifestations of collective community life, security and communal intercourse. In the 19th century, in addition to their economic and cultural development, the communal organizations also fostered a sense of ethnic consciousness among the Greeks of Thrace. The guilds, which had deep historical roots, during the Ottoman period carried out primarily economic but also moral, cultural and humanitarian functions.

In the meanwhile, Thracian ships, particularly from Aenos, were sailing to Odessa, Alexandria, Malta, Marseilles, and Thracian merchants and caravan-traders, active in the wool/thread /cloth/ garment trade, were criss-crossing Europe and bringing home the new ideas generated by the Enlightenment. They also served as channels by which information about the situation of the Greek population of Thrace reached Europe, as did the European travellers who visited Thrace in the 17th-18th centuries.

By the 19th century, 70% of all commercial and artisanal activity in Thrace was in the hands of its Greek population. This economic and social flourishing found expression in improved education and enhanced intellectual activity. The 18th and 19th centuries were Thrace's Renaissance, and they were accompanied by a growing hunger for liberty.

A spirit of resistance had not ceased to exist in towns and villages all over Thrace since the 16th century. Songs tell of the *kleftes* (armed outlaws) who were ubiquitous in the mountains of Rodopi and other isolated areas of the Thracian hinterland.

Thus, when the revolutionary society known as the Philiki Etairia ("Society of Friends") was founded in the 19th century, it found in Thrace fertile soil for its activities. The fourth of the Friends, and one of the founders, was Antonios Komizopoulos, a Thracian, and certainly not the only one. And when the Greek War of Independence broke out in 1821 many Thracians fought on all the battlefronts.

Revolutionary movements were organized within Thrace itself, and the victims of Turkish outrage were far from few. The Thracians were equally active in the battle at sea. The city of Aenos, for example, contributed 300 ships. The Visvizi family, Antonios and his wife Domna (known as the "Bouboulina" of Thrace, after the legendary Revolutionary heroine from the island of Spetses), devoted themselves and their brig "Kalomoira" (Fortunate) to the fight for liberty. And when the uprising could gain no more ground in Thrace itself, the province's sons and daughters went to southern Greece to fight there. Thrace was to pay for this in the coming years, in rivers of blood.

The second half of the 19th century was a critical period for Thrace's Greek population, who were living in an Ottoman society which was in a state of decline, and a collapsing economy. The Greek schools and cultural organizations, however, like the Greek scholars and writers (including Georgios Vizyinos, Kostas Varnalis, and so many others) and the prolific Greek publications (books, newspapers and magazines) all clearly proclaim a continuing development.

Popular culture, which continued to survive, kept alive the link between modern Thrace and its ancient Greek past. Musical instruments, music, songs and the dances they accompanied, fairs and festivals, all continued to entertain the sons and daughters of Thrace. Celebrations with their roots in the Dionysian past, ancient customs and traditions – the Anastenaria (Firewalkers), the Kalogeri (Friars), the Tzamala et al. – with various names and variations, continued to survive in their ancient Thracian homes.

More erudite culture developed as well. Plays and operas Greek and others, ancient Greek tragedies, troupes professional and amateur, foreign companies on tour, all performed in Thrace before treading the boards in Athens.

And everywhere women played a significant role, for the women of Thrace had begun in the 19th century to develop through education and to demand their rights. The women's movements that in the 20th century moved on to Athens originated in Thrace.

In the meanwhile, from the middle of the 19th century Thrace became a field for competing ethnic claims. Northern Thrace, proclaimed an autonomous province under the name Eastern Rumelia in 1878, was annexed by Bulgaria in 1886. Its Greek inhabitants, who in the coastal cities particularly constituted the majority, were massacred or exiled, and many made their way to Greece as refugees. This was the beginning of the division of Thrace; and the Great Powers played their own game, watching or directing the course of events.

During the first two decades of the 20th century, the Macedonian Struggle was paralleled by an equally ferocious struggle for Thrace, which became the theatre of multinational confrontations. In 1919-20 south-western Thrace – that is, the present-day prefectures of Xanthi, Rodopi and Evros –, which had in 1913 been ceded by the Great Powers to Bulgaria, was united with Greece after 560 years under the Ottoman rule. Eastern Thrace, which had also been assigned to Greece in 1920, was awarded to Turkey in 1922-23, after Greece's military defeat in Asia Minor. With the compulsory exchange of populations, hundreds of thousands of Greeks were forced to abandon their homes in the eastern sector and seek refuge in south-western Thrace and elsewhere in Greece. From this forcible exchange were exempted the Orthodox Greeks of Constantinople and the Thracian islands of Imvros and Tenedos and, on the other side, the Muslims of south-western Thrace. But in the course of the decades that followed, the Greeks remaining in Constantinople and the islands were also forced, in one way or another, to leave their homes, so that today there are no more than 2000 left. No one would like to see the story end this way.

In the meanwhile, a new era had begun in south-western Thrace.

Thanasis Mousopoulos

A NEW ERA: ANTITHESES AND SYNTHESES

South-western Thrace was united with Greece in May 1920, and from that point on its path followed that of the rest of the country in every sector. At the same time, however, Thrace has particular characteristics due to its location and its population structure, in conjunction with the way in which the central political authority was organized, which so far have translated into negative economic indicators, but which still promise major development potential.

The influx of refugees from northern and eastern Thrace and Asia Minor in the 1920s fortified the local population with groups of men and women with a rich and varied Greek heritage. This mosaic has not been exploited or promoted as it deserved. In the past few decades, however, with the general trend to reversion to one's roots, Thrace has known a fervour of activity in the preservation of cultural colours and hues.

At every opportunity traditional culture is presented and promoted: the dances, customs, popular Greek art and tradition from all over Thrace – northern, eastern and south-western Thrace –, from Asia Minor, the Black Sea provinces, Cappadocia, as well as the traditional culture of the Armenians, the Pomak people and the Rom. The mix is further enriched by Greeks whose origins are from other regions – Macedonia, Epirus, Thessaly, Crete or Cyprus. And if we add to the mosaic the more recent Greek immigrants from the countries of the former Soviet Union and the Balkan states, then Thrace can certainly be seen as a privileged meeting-place of peoples and cultures, a place where all the Balkan cultures in particular live side by side.

Cradled between two rivers, the Nestos and the Evros, and between the mountains of Rodopi and the Thraco-Aegean Sea, live the people of today's Greek Thrace, divided among the prefectures of Xanthi, Rodopi and Evros.

Thanasis Mousopoulos

THE PREFECTURE OF XANTHI

The prefecture of Xanthi, with its 90,000 inhabitants, is centred around its capital, the city of Xanthi, home to 40,000.

Xanthi, or Xantheia, first appears in written sources in AD 879. From a small village, at the beginning of the 18th century it became a famous tobacco centre, like the then district capital of Genisea.

The 19th century was a period of growth and development. Rebuilt after devastating earthquakes in 1829, the Old Town has since preserved its urban fabric virtually intact into the present. The local municipal council, the Demogerontia, was established in 1860. When the district capital of Genisea was destroyed by fire in 1870, all the administrative services were transferred to Xanthi, which was declared the capital, having in 1875 a population of about 10,000, the majority of whom were Christians. The city's economic, social and cultural development left its mark on the traditional quarter of the Old Town, and on the schools and churches of this period. The "Apollon" Theatre, no longer standing, welcomed the finest artists Greek and others; Xanthi also boasted the first cinemas in all of northern Greece.

The first two decades of the 20th century, a period of virtually continual armed conflict, interrupted all progress; but the broken thread of development was picked up again during the inter-war years. The tobacco workers added a new shade to the local palette. By 1940 the city's population had grown to 32,000, and was enjoying substantial growth based on the processing and trade of tobacco. The whole population shared in the gifts of progress and prosperity and in the cultural development associated with them.

Then came World War II, and Thrace found itself under harsh Bulgarian occupation. After the tragic decade of 1940-1950, the region found itself stripped of the most active elements of its population. Internal and external migration, combined with a general indifference towards Thrace on the part of the central authorities, led not only to a shrinking of its population but also to a rapid and gen-eralized decline, so that by the 1980s its economic indicators were the lowest anywhere in the European Union.

The cultural sector, however, continued in many places to flourish and, thanks to private initiative, to perpetuate its great tradition.

Since 1952, when the Progress Union of Xanthi (FEX) was founded, much has been achieved in the cultural sector. During the last ten years the local government authorities have taken a particular interest in cultural affairs, creating institutions in which the various clubs and associations which flourish both in the town and in the countryside also take part: the Hatzidakio Choral Festival (in January), the Thracian Folk Festival - Xanthi Carnival (during the pre-Lenten carnival period), the Student Youth Festival (in May), the Festival of the Old City (in September). The city also boasts the Xanthi Folk Museum (run by FEX), the Museum of Natural History, the Municipality of Xanthi House of Arts and Letters (including a library with a collection of 40,000 volumes, as well as a conservatory and a school of dance), the Cinema Club of FEX, now twenty-five years old, folk dance clubs, choirs, theatre groups, naturalists associations and sports clubs (the Xanthi soccer team has for several years now played in the national league's top division).

The presence of the 4th Army Corps and of a number of Faculties of the Demokritos University of Thrace mean a considerable youthful presence in the life of the city, with positive consequences for its social and cultural development. Local writers, painters, musicians and scientists live and work in Xanthi. Periodicals, the best-known being the long-lived *Thrakika Hronika* (Thracian Chronicles, since 1960), books and daily newspapers, radio and television stations, cover and feature local events with considerable success.

The city also has a wide variety of restaurants and places of entertainment: the Thracians are well-known for their love of good food. Many rural villages boast traditional coffee shops (*kafeneia*) and tavernas.

The coastal area, which because of its wetlands is protected by the Ramsar Convention, does not offer many facilities and provides wonderful opportunities for lovers of nature and the sea. Those who prefer mountain and forest landscapes will turn to the virgin massif of Rodopi and the Nestos Stena (Gorge), from Stavroupoli to the Delta. On every hand the visitor will encounter rare natural beauty and even rarer species of bird and plant life.

Among the host of archaeological sites from every historical period (more than seventy have been identified), one might distinguish Avdera, the birthplace of Demokritos and Protagoras, which has been inhabited continually through the centuries since the Classical Age. The Archaeological Museum in the village is ready to display the region's wealth of archaeological treasures.

It is now generally realized that, however essential material infrastructure projects are, they need to be part of a global development – economic, social and cultural – in order to make up the deficiencies which, despite the measures taken, still continue to haunt the prefecture of Xanthi.

Antonis K. Liapis

THE PREFECTURE OF RODOPI

The prefecture of Rodopi occupies the central section of the present-day Greek region of Thrace. It takes its name from the mountain range along its northern border, which also forms part of the international boundary between Greece and Bulgaria. It has a population of 103,295 (1991 census), and its area of 2,542.5 square kilometres constitutes 1.9% of the country's total.

Rodopi has had low development indicators, both by Greek and by European standards, largely as a result of its geographical distance from developed urban centres, its dependence on agriculture and its lack of modern infrastructures and job opportunities.

Today, however, cross-border development projects exploiting the area's geopolitical advantages seem to be ushering the region into a brighter economical future. The construction of the Egnatia Highway, a major road link between Europe and Asia, and of the north-south arteries from the Peninsula of Aimos (Balkan) states, of such tremendous economic and cultural importance, as well as the extension of the natural gas pipeline from Russia as far as the prefectural capital of Komotini, will all contribute to growth and development in Rodopi. Further, Thrace as a whole, and therefore Rodopi as well, has since the 1970s benefited from an extremely favourable package of development incentives providing unique opportunities for Greek and foreign investors in the industrial, crafts and tourism sectors.

In the perspective of this outward-oriented economic activity, which is already well under way, Rodopi and Thrace in general are destined to become both the economic and cultural gateway to the Peninsula of Aimos interior and the Euxeinos Pontos (BlackSea) states as well as Eastern Europe's gateway to the Mediterranean.

If the region's economy is struggling to catch up to the rest of the country, the same is not true of its culture and of the rich heritage which has flourished at this cross-roads of history and peoples. Each successive period has left its mark, tangible and persistent, in its archaeological sites, in its citadels, in popular architecture, in the traditions and songs of this land.

The uniqueness of this region, lying in the transition zone where Asia and Europe geographically and culturally fade one into the other, is substantially the product of the parallel presence of Christianity and Islam.

The veil of Islam falls lightly over the Byzantine heritage of the Pomaks, the Anatolian characteristics of the Turkish-speaking group, the Indian colour of the Rom, or Gypsies (with Komotini's Museum of Basket-Weaving as the only one of its kind in Europe). And on the other hand, the oldest inhabitants of the region, the Greeks, were reinforced and enriched by Greek refugees from every part of historical Thrace and Asia Minor after Greece's military defeat by the Turks in 1922.

The region is thus home to an extraordinary diversity of traditions, which could best be described as a living cultural mosaic. The sharp contrasts not only in the religious field but also among the different population groups is reflected in their every material and verbal expression.

The Pomak houses of the mountainous regions of Rodopi bear

the stamp of the Peninsula of Aimos architecture, while the elegant mansions in Komotini and Maroneia tell of the affluence the Greek communities achieved in the Ottoman period. Traditional costumes, which are still in use in some parts of the prefecture, define cultural boundaries but also reveal the mutual influences of the various population groups on one another. The wealth of traditional songs and dances, generally performed to the accompaniment of bagpipes, is truly astounding, while the melodic lines of the *kathistika* songs (sung around the table) of eastern Thrace still follow the ancient traditions of Byzantine ecclesiastical music.

Rodopi's Byzantine colour and the strong religious feeling of its inhabitants is apparent in the numerous religious festivals which occur in every season of the year in every corner of the prefecture. Some of the best known are those of the Monastery of Panagia Faneromeni in Vathyriakas (22-23 August), of Agia Marina in Imeros (16-17 July), and Agia Paraskevi in Komotini (25-26 July).

Of the numerous and varied traditions and customs which have survived for centuries in rural Thrace, we might mention certain ancient celebrations, such as the day of Babbo, or Gynekokratia (Women's Rule Day), and the customs of Seimenedes and Piterades, as well as certain more modern traditions, like the Carnival festivities in the town of Sapae.

The festival of the Babbo, which is full of ancient symbolism, is revived each year on January 8 in Xylagani, Strymi, Proskynites and other villages. The festivities begin early in the morning, and involve a reversal of traditional roles: all day the women do the men's jobs and the men the women's. The customs of Seimenedes and Piterades are part of the Carnival festivities in the village of Neo Sidirohori. Groups of men in Greek national dress and others in carnival costume wander about singing and bandying ribald remarks. The tradition, which has its roots in Thrace's ancient Bacchanalian festivals, also harks back to the years of Ottoman rule, when the Greeks found in the Carnival period an opportunity to use traditional songs and customs to renew and strengthen the patriotism of their fellow Hellenes.

Dimosthenis Doukas

THE PREFECTURE OF EVROS

Plutarch tells us that this land owes its name to the son of a legendary king of Thrace, called Cassander. Having divorced his wife Crotonice, Cassander married Damasippe, who fell madly in love with her stepson, Evros. He however rejected her advances, so to revenge herself on him, Damasippe told Cassander that the youth had tried to rape her. Cassander set out after him, to slay him, but Evros threw himself into the waters of the River Romvos and was drowned. And ever since then this region and its history have been identified with the name of that unfortunate youth.

Evros was the home of Orpheus, priest, seer and father of the bards. Traditionally, Orpheus was the son of Apollo (or, in another version, of the Thracian king Oiagros) and the Muse Calliope; it was he who instituted the Orphic Mysteries and all the rituals associated with them. There, seated on the banks of the River Evros, as Aristophanes tells us, the initiated prepared the way for the brilliant path traced by this region down the centuries. This was a land of mysterious rites, for apart from the Orphic Mysteries, there also flourished the cult of Bacchus, or Dionysos, and on the island of Samothrace the cult of the Cabeiri. Orpheus descended into Hades to rescue from the dead his beloved wife Eurydice; but he lost her forever, and in the end was himself lost, together with his lyre, in the dark waters of the Evros, the victim of the fury of the Maenads.

The ancients thought Evros was the greatest of the world's rivers: Alcaeus called it *fairest of rivers*, Euripides described it as *silver-flowing*, Pliny as *streaming with gold*. To this day the Evros, together with its tributaries the Ardas, the Erythropotamos, the Tountzas and the Erginis, almost as if by enchantment have preserved unchanged and untouched the eternal natural heritage of their landscape, so that we may in these parts have the privilege and pleasure of co-labourers with God, as St Paul says, and of honouring the material world, as we are enjoined by Ioannes of Damascus. Within its 4,242 square kilometres, the prefecture's 143,752 inhabitants (1991 census), protect with their presence a place of beauty, a place of mystery, a place close to God, a place which still welcomes those who seek to enrich their lives, to give meaning to the future.

Our journey, and our plunge into history, begins at Mesemvria, dominated by the ruins of the celebrated ancient city, and, slightly to the east, Makri, with its three-aisled basilica dedicated to Saint Anastasia.

A boat carries us across to wind-blown Samothrace, the island of the present-day Greek province of Thrace. Here, on the peak of Mt Saos, Poseidon sat to watch the battles of the Trojan war. Here came important figures from all over the known world, seeking initiation into the mysteries of the Great Gods. Here too came St Paul, to initiate the people into the Christian faith. Hora, Palaeapoli, Panagia Kremniotissa, Loutra, Alonia, all combine to produce an Aegean tapestry of rare beauty. And they watch for the return of the Nike, the Winged Victory.

Returning to the mainland, the prefectural capital of Alexandroupoli awaits us, to illuminate our journey with its giant lighthouse. Built in the vicinity of the ancient town of Sale, the daughter of the celebrated city of Aenos, Alexandroupoli is a lively, bustling place. With its university faculties, its port and airport, its multi-facetted cultural infrastructure and activity, the city spreads its wings to new horizons.

A few kilometres to the east lies the Roman and Byzantine city of Traianopolis, the site of the martyrdom of Saint Glykeria: the *hana* and the other monuments reflect the city's glorious past.

To the north of Alexandroupoli are the impressive ruins of the Byzantine fortress of Avantas, the Agioi Theodoroi cave with its marvellous 11th century frescos, dug out of the mountainside, picturesque Kirki, and Leptokarya with its traditional Sarakatsani settlement.

On the way to ancient Doriskos we pass the monastery of Agios Ioannis at Aetohori, before coming to the town of Pherai, successor to the Byzantine city of Vera, and the imperial monastery of Panagia Kosmosoteira, built in 1152 by Isaakios Komnenos, it claims the title of "the Parthenon of Thrace". In the convent of the Koimisis of Theotokos (Dormition of Our Lady), a holding belonging to the Athonite Iviron Monastery, an admirable sisterhood of nuns guard the miraculous icon of the Virgin.

Our path takes us next to the silk city of Soufli. Here the Silk Museum reminds us that this was once a centre of economic development and culture.

The next stops are Plotinopolis and of Didymoteichon. In our mind's eye we can picture Roman, Byzantine and Ottoman inhabitants, fighting or creating. The castle of Didymoteichon with its gateways,

the narrow lanes, the Byzantine churches of Agia Aikaterini and of Christ and the large tent-shaped Ottoman mosque, are well worth a visit. A little farther on we come to Pythion and its tower, where Ioannes VI Kantacouzenos sought refuge, and the cenotaph of Patriarch Kyrillos VI.

From here our road takes us to Nea Orestias, where refugees from across the border settled, bringing with them the history of Orestes who, pursued by the Furies for the murder of his mother Klytaemnestra, after many adventures came to this area to cleanse himself in the water of its three rivers. And in gratitude he built the city of Orestias, the Ouskoudama of the Odrysoi.

We have now reached the border triangle, the land of the Ardas River. A place where the people of the frontier live their lives with their memory ever-vigilant and smiles undimmed. For they know what duty means.

In the marvellous museums of Samothrace, Alexandroupoli, Soufli, Didymoteichon, Nea Orestias, in the lovely traditional settlements and villages of Metaxades, Paliouri, Hora, Alepohori, Derio, Petrades, those who love the genuine will find what they seek.

A wealth of folk and cultural events and festivals survive throughout the region: the celebrations of the Tziamala or Camel on Christmas Eve or New Year's Eve, the Babbo or Mame (Midwife), on January 8, the feast of the Bey or Kalogeros (Friar) on Cheese Monday or Shrove Monday, the Tryphonas, the Sourva, and so many more. In the oak forests of Evros the mysticism of the Muslim Bekhtasi is still alive. The more modern cultural scene includes the diverse cultural events organized, usually in the spring and summer, by the towns and villages of the province. Traditional foods and products, an active press, championship sports, choirs, cultural associations and monuments complete our list.

For the visitor seeking an ecological approach to nature, the River Evros offers a positive challenge. Water, as Aristotle reminds us, is the most vital thing on earth. The Delta of the Evros, an ecosystem of international importance, is a place where a wide variety of animals and birds, some on the verge of extinction, find a safe habitat. The famous forest of Dadia is the principal nesting site for twenty-three of the thirty-eight birds of prey found in Europe. And besides these, there are caves, springs and regions of remarkable natural beauty.

This blessing, in our present world of crisis, makes Evros seem like a paradise on earth, shimmering before our eyes and souls like one of the last Utopias.

Kostas Poirazidis, with Sophia Samara

THRACE: A STROLL THROUGH NATURE'S REALM

The name Thrace has not always indicated the same single territory within the same unchanged boundaries. However, the mountains of Rodopi and Aimos and the seacoasts to the south and east have always remained fundamental geographical characteristics of this region.

With the establishment of the borders between Greece, Bulgaria and Turkey, Thrace was divided into three parts: the northern section belongs to Bulgaria, the eastern to Turkey and the south-western to Greece. The Evros River forms the eastern boundary of present-day Greek province of Thrace; to the north the frontier follows the summits of the Rodopi massif, while to the west the Nestos River separates the plains of Thrace from those of Macedonia until, at its mouth, it flows into the Thracian Sea, the northern part of the Aegean.

The diversity of natural habitats in this corner of Greece is impressive. Coastal zones, wetlands, major rivers, plains, wooded hills and lofty mountains all co-exist in an area of only 8,578 square kilometres.

One of these lofty mountains is the Rodopi massif, very ancient geologically, and among the most densely forested in Greece. From its summits, when the weather is clear, the eye can follow a sculpted landscape as far as Samothrace, the only Thracian island belonging to the modern Greek state. Vast dense forests carpet its slopes. From the mountain peaks to the rolling foothills and the sea shore, the land provides habitats for every type of European flora, from temperate forests to Mediterranean scrub. The higher slopes are covered in forests of Oriental Beech (*Fagus orientalis*), Scots Pine (*Pinus sylvestris*) and Norway Spruce (*Picea albies*). The Norway Spruce migrated to Rodopi from Northern Europe and Siberia during the Ice Age, and has since been firmly established in the friendly habitat it found on the slopes of this welcoming massif. While many species of animal life may be found in these mountains, several of them unfortunately are threatened with extinction. The Brown Bear (*Ursus arctos*), the Timber Wolf (*Canis lupus*), the Roe Deer (*Capreolus capreolus*), the Red Deer (*Cervus elaphus*) and numerous other animal species are all seeking a right to life in these forests. Two of the loveliest of the woodland bird species, the Capercaillie (*Tetrao urogallus*) and the Hazel Grouse (*Bonasa bonasia*), ornament with their

presence Thrace's north-western mountain massif.

Along the coastal zone stretches a network of wetlands: the Deltas of the rivers Evros and Nestos, freshwater lakes, salt marshes, lagoons and sand banks are all intermeshed, creating a continuous ecosystem that extends for mile upon mile, a water world unique in Europe. Four of Greece's eleven internationally important wetlands protected under the Ramsar Convention are in Thrace.

Until 1946 the Nestos Delta boasted the largest virgin riverine forest in Europe, the Kotza Orman (72,000 hectares). Today, there are only a few patches left to recall that lost loveliness. The Delta has been reclaimed for farmland and poplar cultivation. All that is left is a series of brackish coastal lagoons and narrow sand banks. Some of the more important species that nest in this area are the Spur-winged Plover (*Hoplopterus spinosus*) – whose range in Europe is now limited to the Thracian wetlands –, the Common Stilt (*Himantopus himantopus*), the Shelduck (*Tadorna ferruginea*), the Pheasant (*Phasianus colchicus*) and a number of rare birds of prey. Mammal species that continue to live in the Delta include the Golden Jackal (*Canis aureus*) and the European Wildcat (*Felis sylvestris*). During the migrating season a tremendous variety of birds may be seen.

To the east of the Delta lies a freshwater lake called Ismaris or Mitrikou, a nesting place for a variety of ducks, including Gadwalls (*Anas strepera*) and Pochards (*Aythya nyroca*) and a wintering place for several species of geese, including the now very rare Red-footed Goose (*Anser erythropus*).

Next to Lake Ismaris and around Porto Lagos are extensive brackish marshes, broadening into lagoons of which the largest are Lagos, Lafri, Lafrouda, Xirolimni, Karatza, Mesi, Ptelea, Elos and Limni.

North of the village of Lagos lies one of the biggest lakes in Greece. Lake Vistonis was once a lagoon too, but its channel to the sea was gradually silted up by the alluvial deposits carried down by the rivers emptying into it. Today it is mainly brackish, with some freshwater pockets in its northern areas. Several species of birds nest here, including Pochards, Stilts, Avocets (*Recurvirostra avosetta*) and Spur-winged Plovers.

In the man-made pine forest on the bay at Porto Lagos a large heronry has been fenced off and declared a Natural Monument. The

35

young of the Grey Herons (*Ardea cinerea*), Little Egrets (*Egretta garzetta*) and Night Herons (*Nycticorax nycticorax*) that nest here enjoy the peace and safety that have been afforded them in this sanctuary since 1986, under the protection of local state and environmental agencies.

This complex landscape becomes even more important during the migrating season, with the arrival of flocks of European White Pelicans (*Pelecanus onocrotalus*), Glossy Ibis (*Plegadis falcinellus*) and Slender-billed Curlew (*Numenius tenuirostris*), a species now threatened everywhere. It is also a favourite wintering place for thousands of water birds from northern countries, including the Red-footed Goose and the White-headed Duck (*Oxyura leucocephala*). This season is bitterly cold in the wetlands. A faint but sometimes thick fog caresses the species which succeed in reaching this point, fleeing from the climatic conditions.

Farther east, on the Greek-Turkish border, is the Delta of the Evros, one of the most important wetland habitats in all of Europe. The Delta of the Evros lies at the cross-roads of some of the main migration routes between Europe and Africa. This region, where Europe meets Asia, has for centuries been a valuable refuge and a breeding-ground for hundreds of bird and animal species. Until just a few decades ago, the Delta was a veritable natural paradise. Its thousands of hectares of untouched riverine forest, dotted with marshes and lagoons, provided a perfect habitat for many species of herons and rare birds of prey, including the White-tailed Sea-eagle (*Haliaetus albicilla*) and the Osprey (*Pandion haliaetus*). Today, very little of this ancient ecosystem remains, for much of the area has been turned into farmland and pastures and the river, which once flooded regularly, irrigating the marshes with fresh water, now flows between ruler-straight embankments. In spite of this, however, for many species of birds the Delta of the Evros, with its salt marshes, its lakes and its many islets, is still a precious breeding-ground and a quiet refuge, reddened in the autumn by the Glasswort (*Salicornia europea*) which grows in the brackish water. In the winter months, the Delta echoes to the cries of the tens of thousands of water birds that come here and find a warm and hospitable environment in which to continue their lifecycle. Wild ducks, geese and swans continually fill the silence with their cries and their colour: from time to time they may be pleading for a more harmonious co-existence with the species Homo sapiens. In the spring and autumn, during the great migrating

period, the face of the Delta changes. New species of birds large and small alight here, if only for a few hours or a few days. Then suddenly, in obedience to some mysterious signal, they all take to the air together and head off in a vast cloud for the next resting and feeding place. Among them you may see the slender-billed curlew, now a threatened species world-wide: the Delta of the Evros is the most important resting-place on its European flight path.

Between the mountains of the interior and the wetlands of the coastal zone, dozens of streams and rivers carry an abundance of fresh water from the bowels of an ever-bounteous earth. And as the streams carve their way down the mountainsides, they create miracles. The Nestos Gorge, a deep ravine several kilometres long, with its sheer bluffs and islets of dense riverine forest, is protected as a listed beauty spot. There in the dense riverine and oak forests lining the deep valleys of the Kompsatos and Filiouris rivers, in the prefecture of Rodopi, nest such rare birds of prey as the Lesser Spotted Eagle (*Aquila pomarina*), while the sheer cliffs provide nesting sites for the Griffon Vulture (*Gyps fulvus*) and the Golden Eagle (*Aquila chrysaetus*).

The diversity and the importance of Thrace's natural habitats is even more evident in the hilly and mountainous areas of the prefecture of Evros. This is Europe's richest reptile habitat, home to forty-one species of reptiles and amphibians. The famous Dadia Forest in the centre of the prefecture, north of Lefkimni and south-west of Soufli, is one of the most important breeding-grounds for birds of prey in Greece and Europe. Thirty-six of the thirty-eight species of European diurnal birds of prey have been spotted in this forest, and twenty to twenty-three species are known to nest here. This is because the forest is a truly unique habitat, embracing an extraordinary diversity of landscapes, where old forests of Pitchpine and Black Pine (*Pinus brutia* and *Pinus nigra*) are broken by rocky outcrop, sheer cliffs, clearings, cultivated acres and streams. Since 1980 part of this area has been protected against the interventions which would endanger the birds which nest here. This is also the only place where one can find all four species of European vultures: the Griffon Vulture, the Cinereous Vulture (*Aegypius monachus*), the Lammergeier (*Gypaetus barbatus*) and the Egyptian Vulture (or "Pharaoh's chicken", *Neophron percnopterus*). The symbol of the forest is the Cinereous Vulture, for the population breeding here is the last anywhere in eastern Europe. The forest of Dadia is also one of the finest breeding-grounds in

Greece for numerous other species of birds, including the Lesser Spotted Eagle and the Black Stork, with almost half the total Greek population of these species living here.

The island of Samothrace, on the distant horizon, is an offshore outcrop of the Rodopi range. In the middle of the island the mountain known as Fengari or Saos rises between sea and sky to a height of 1448 metres. Down its sheer cliffs, among centuries-old plane trees, tumble numberless streams whose crystal clear waters eventually lose themselves in the deep blue of the sea. Most of its slopes are carpeted in grassy meadows where browse the goats for which the island is famous, and dotted here and there are forests of ancient oaks. And if you raise your eyes to the heavens, you may well see a Bonelli's Eagle (*Hieraetus fasciatus*) lazily circling its extensive domain.

This is a proud land, this land of Thrace, and to know it you must walk its paths, become acquainted with its habitats and their thousands of species, and experience the hidden side of its natural abundance.

Σαμοθράκη. Βυζαντινά σημάδια.

Samothrace. Signs of the Byzantine past.

Ευχαριστούμε
τους ανθρώπους της Θράκης που μας υποδέχθηκαν,
μας φιλοξένησαν, μας ξενάγησαν και μας άνοιξαν
τα σπίτια, τα εργαστήριά τους –και την καρδιά τους–
στα ταξίδια μας για τη φωτογράφηση.

Μ.Καρατάσσου, Ν.Δεσύλλας

We thank
the people of Thrace who, during our journeys to the
region, welcomed us, gave us hospitality,
showed us round and opened up to us their homes,
their workshops, and their hearts.

M.Karatassou, N.Desyllas

Ξάνθη. Παλιά Πόλη

Χρώμα κι αχλύ της Ξάνθης 'κείνης της παλιάς,
σπίτια, δρομάκια, μια ζωή που γέρνει.

Κατίνα Βέικου-Σεραμέτη, *Πνοές του Κόσσινθου*

Xanthi. Old Town

Xanthi, and the mists and colours of that ancient town,
houses, lanes, a whole way of life sinking into repose.

Katina Veikou-Serameti, *Breezes of Kossinthos*

Ατέρμονη διάσταση ο χρόνος.
Όλα φέρνουνε τη δική του σφραγίδα.
Όλα υπακούνε στο δικό του ρυθμό.

Κατίνα Βέικου-Σεραμέτη, *Όταν η σιωπή...Ελεγείο*

Time, the unbounded dimension.
Everything bears its stamp.
Everything marches to its beat.

Katina Veikou-Serameti, *When the Silence... Elegy*

Ο ήλιος είχε κατέλθει πολύ χαμηλότερα προς την δύσιν. Πάσα ύπαρξις, πάσα εκδήλωσις ζωής απεσύρετο σιγαλά και βραδέως προς τα ενδότερα της πόλεως.

Γεώργιος Βιζυηνός,
«Το μόνον της ζωής του ταξείδιον»

The sun had dropped even lower in the west. Every creature, every sign of life had withdrawn slowly and quietly into the heart of the town.

Georgios Vizyinos,
"The only voyage of his life"

Ξάνθη. Παλιά Πόλη

Απ' τις παλιές τις γειτονιές περνώντας
και τα σχήματα παλιών ερώτων
ντουβάρια μόνο μείνανε
απ' τα παλιά τα χρόνια
(φάλτσες μορφές στα μέτρα μας
                                    κομμένες).

Θανάσης Μουσόπουλος, *Ο ήλιος σκιάδιο*

Xanthi. Old Town

Passing through the old familiar
                                    neighbourhoods
and the shades of our old loves
all that remain of those long lost days
are these crumbling walls
(counterfeit figures made in our image).

Thanasis Mousopoulos, *The Sun Sunshade*

43

Ξάνθη. Παλιά Πόλη

*Ποιος πληγωμένος έγιανε να 'χω
κι εγώ ελπίδα,
ποιο δέντρο εμαράθηκε κι έβγαλε
πάλι φύλλα;*

Δημοτικό τραγούδι της Θράκης

Xanthi. Old Town

*Who once wounded ever healed,
that I too should have hope?
Did any tree, once blighted, ever
put forth fresh new shoots?*

Thracian folk song

*Εδώ στις παρυφές του κόσμου
ζω.*

Θανάσης Μουσόπουλος, *Οιακισμοί*

*Here on the fringes of the world
I live.*

Thanasis Mousopoulos, *Steerings*

46

**Μαγαζιά στην αγορά της Ξάνθης,
που κατεδαφίστηκαν πρόσφατα**

Τσιομλέκια, σκάφες, ταψιά, τεντζερέδες απλωμένα...
Στέφανος Ιωαννίδης, «Οι Ντεγκτσήδες»

**Shops recently demolished,
in Xanthi's commercial centre,**

Cooking pots, basins, baking-tins, saucepans, all laid out...
Stefanos Ioannidis, "The Degtsidhes"

Θα πάρου χρυσουσκέπαρου
κι τ' αργυρό πιργιόνι.
Ν' ανέβου σι ψηλά βουνά, κι σ' όμουρφα μπαλκάνια.
Να κόψου δάφνις κι μηλιές, κι μια νιραντζοπούλα.

Δημοτικό τραγούδι της Θράκης

I shall take my golden axe and my silver saw.
And I shall climb the mountains high and the fair peaks.
And I shall cut laurels and apple boughs
and a charming little orange tree.

Thracian folk song

Ξάνθη. Παζάρι

Τ' άγια και τα μυριστικά
και της 'μορφούλας τα προικιά.

Xanthi. Bazaar

Sacred objects and sweet-smelling herbs,
and the pretty maiden's dowry.

Δώσε το χέρι να γιατρέψουμε την πληγή
να στρώσουμε μαζί
λέξεις αγάπης
να πατήσουν πάνω τα παιδιά μας.
Θανάσης Μουσόπουλος, *Οιακισμοί*

Give me your hand that we may heal
                    the wounds,
that we may together lay down
a carpet of words of love
for our children to walk upon.
Thanasis Mousopoulos, *Steerings*

Στο δρόμο από την Ξάνθη
προς τη Σταυρούπολη

*Εκεί είν' γιοφύρι αψηλό και μ' αψηλές
καμάρες,
εκεί θα σ' εύρω την αυγή, με γιασεμιά
στη μπόλια.*

**On the way from Xanthi
to Stavroupoli**

*There is a bridge there, standing tall,
on soaring arches laid,
and there I'll meet you in the dawn,
with jasmine in your hair.*

50

Τρία αδέλφια χτίζανε καμαρωτό
γεφύρι.
Από πρωί το χτίζανε, το βράδι
γκρεμιζόταν.
Όρκον εβάλανε τρανό,
εκείνου που η γυναίκα πρώτη θε
να φαινότανε,
εκείνηνε να θάψουν στου γεφυριού
τα θέμελα.
Πουρνό-πουρνό εφάνηκεν
η Γιουρικιά καντόνα, απ' όλες
η ομορφότερη
και του πιο νιου γυναίκα.

Πομάκικο τραγούδι, απόδοση Παν. Φωτέας

Three brothers were building a fine
arched bridge.
All day long they would build, every
evening it would fall.
So a solemn oath they swore,
the wife of whichever one would
first appear,
they would bury her at the foot of
the bridge.
Bright and early who should appear
but Giourikia, of the youngest
the wife
and most beautiful of all.

Pomak song

51

52

Στάνη στα ορεινά του νομού Ξάνθης
Sheepfold in the mountains, prefecture of Xanthi

*Μακρινή αρμονία κωδώνων, ως ήχοι μουσικής
εκπνεούσης, αφικνείτο μέχρις ημών από των
πέριξ κλιτύων, εφ' ων διεκρίνοντο αμυδρώς
λευκαί αγέλαι βοσκημάτων, επιστρεφόντων οίκαδε.*
Γεώργιος Βιζυηνός, «Αι συνέπειαι της παλαιάς ιστορίας»

*A distant harmony of bells, like fading echoes
of music, reached our ears from the surrounding
slopes, on which faintly in the distance could
be seen grazing flocks of cattle returning home.*
Georgios Vizyinos, "The consequences of an old story"

Γεφύρι στα ορεινά του νομού Ξάνθης

*Τα νερά της μαγείας στη γενέθλια γη
και στη δόξα της λατρείας μας
το ποτάμι της λήθης και η βασανισμένη χλόη.*

Κώστας Θρακιώτης, *Η κραυγή της σιωπής μου*

Bridge in the highlands of the prefecture of Xanthi

*The waters of enchantment in our natal land
and in the glory of our adoration
the river of forgetfulness and the tortured grasses.*

Kostas Thrakiotis, *The Cry of my Silence*

Το ορεινό χωριό Ρεύμα,
στο νομό Ξάνθης

**The mountain village of Revma,
in the prefecture of Xanthi**

Ξύπνα, ξύπνα,
θα 'θελα να σου μιλήσω για το ξύλινο πουλί
που ονειρεύτηκε να πετάξει στο δάσος,
για τη μοναξιά τ' ουρανού
που 'ναι ίδια παντού.
Γ.Ξ. Στογιαννίδης, *Το ξύλινο πουλί*

Awake, awake,
for I want to tell you of the wooden bird
which dreamt of flying in the forest,
of the solitude of the sky
which would be the same everywhere.
G.X. Stogiannidis, *The Wooden Bird*

Θέα από το ορεινό χωριό Κύκνος
του νομού Ξάνθης
View from the mountain village of Kyknos,
in the prefecture of Xanthi

Το χωριό Κύκνος, στα ορεινά του νομού Ξάνθης

Γιατί 'ναι μαύρα τα βουνά και στέκουν βουρκωμένα;
Μην άνεμος τα πολεμά, μη κι η βροχή τα δέρνει;

Από δημοτικό τραγούδι της Θράκης

The village of Kyknos, in the highlands of Xanthi

Why are the mountains black today, brooding and
sullen and grim?
Is it because they are lashed by the rain, and
buffeted by the wind?

From a Thracian folk song

Απάνου στη δικιά σου γης, που αληθινά την αγαπάς,
γύρε και μάθε να χτυπάς, να κόβεσαι, να ιδροκοπάς.

Κώστας Βάρναλης, «Το τραγούδι του λαού»

Over your own land, the land that lies closest to your heart,
bend and learn to toil, to labour, to sweat.

Kostas Varnalis, "The song of the people"

Ορεινή Ξάνθη. Καλλιέργειες

Στις ασπρολιθιές / και στους ροδώνες / απόθεσα τα βήματα /
τούτο το πρωινό / κι ακουμπώντας τα δάχτυλα /
ενώθηκα με τις παλάμες σου, γη, /
τους παλμούς σου / που χρόνια τώρα χτυπούν /
και δεν τους ένιωθα / άκουσα επιτέλους.

Θανάσης Μουσόπουλος, *Ο ήλιος σκιάδιο*

Highlands of Xanthi. Farmland

Over the white rock / and through the rose garden /
this morning / I traced my footsteps /
and with the tips of my fingers /
I became one with the palm of your hand, o earth, /
your pulse / that has beat there for years /
and that I never sensed before / I finally heard.

Thanasis Mousopoulos, *The Sun Sunshade*

Ορεινή Ξάνθη. Αγροικίες
Highlands of Xanthi. Farmhouses

Όργωνα στα ρέματα / τ' αφεντός τα στρέμματα.
Κώστας Βάρναλης, «Η μπαλάντα του κυρ Μέντιου»

Ploughing and ploughing the master's acres along the riverbank.
Kostas Varnalis, "The ballad of Master Mentis"

Στα πεδινά του νομού Ξάνθης

Τόσο μεγάλη η Άνοιξη,
τόσο μεγάλη είναι...
Θανάσης Μουσόπουλος, *Ο ήλιος σκιάδιο*

Xanthi's lowland plains

The Spring is so great,
so very vast...
Thanasis Mousopoulos, *The Sun Sunshade*

61

Κι ένα εκκλησάκι αντίπερα –του Απρίλη
ο ξανθός οργασμός το σφιχτοδένει–
θαμπά το Θεό τηράει με το κανδήλι.
Κώστας Βάρναλης, *Κηρήθρες*

*And a tiny chapel across the way
– almost lost
in the golden profusion of April –
humbly looks up to God with
its candle.*

Kostas Varnalis, *Honeycombs*

Πόρτο Λάγος

Τα σύννεφα, ερυθρωπά εκ της επιβλητικής παρουσίας του κυριάρχου των, περιέστελλον ευλαβώς τας χρυσάς παρυφάς των κυανών στολών των, ως αξιωματικοί λαμβάνοντες από το στόμα βασιλέως το μυστικόν της νυκτός σύνθημα.

Γεώργιος Βιζυηνός, «Μεταξύ Πειραιώς και Νεαπόλεως»

Porto Lagos

The clouds, blushing in the majestic presence of their sovereign lord, respectfully drew in the golden fringes of their mantles of blue, like officers receiving from the lips of the king the watchword of the night.

Georgios Vizyinos, "Between Piraeus and Naples"

Ξάνθη. Η μονή της Παναγίας Αρχαγγελιώτισσας
Xanthi. The Panagia Archangeliotissa Monastery

Μαρώνεια. Το θέατρο των Ελληνιστικών και Ρωμαϊκών χρόνων

Οι όρθιες πλάκες στήριζαν κιγκλιδώματα που προστάτευαν τους θεατές κατά τη διάρκεια θηριομαχιών στα Ρωμαϊκά χρόνια.

Δεν είν' αλήθεια πως και οι πέτρες που είναι στον κόσμο, αν εύρισκαν κανένα να πουν τα «ντέρτια» τους, θα ήταν ελαφρότερες;

Γεώργιος Βιζυηνός, «Ο Μοσκώβ Σελήμ»

Maroneia. The Hellenistic and Roman theatre

The upright slabs supported railings protecting the spectators during fights with wild beasts in the Roman era.

Is it not true that, if they could but find someone to hear their lament, even the stones in this world would find their heaviness lightened?

Georgios Vizyinos, "Moskov Selim"

64

*Το θέατρο γεμάτο από υπολείμματα
–δακρύων και χεριών.
Το θέατρο γεμάτο από υπολείμματα
ανθρώπων.*

Θανάσης Μουσόπουλος, *Ο ήλιος σκιάδιο*

*The theatre filled with remnants
–of tears and hands.
The theatre filled with remnants
of people.*

Thanasis Mousopoulos, *The Sun Sunshade*

Στα Άβδηρα

*Κοιτάω το δρόμο,
μήπως και δω μια σκιά,
που σου μοιάζει.*

Κατίνα Βέικου-Σεραμέτη,
Όταν η σιωπή... Ελεγείο

In Avdera

*And I search the road
for a shadow
of your likeness.*

Katina Veikou-Serameti,
When the Silence... Elegy

66

Σπίτι στα Κιμμέρια

Όπου πάω και σταθώ μ' ακλουθούν,
όλα ζεστά, εφροσύνη και φως
το τραγούδι κι ο ανθός.

Κώστας Βάρναλης, «Χορός των Ωκεανίδων»

House in Kimmeria

Wherever I go they follow me,
all warmth, joy and light,
blossom and song.

Kostas Varnalis, "The dance of the Oceanids"

Σπίτι στη Μαρώνεια

Εδώ που γεννήθηκα
είχα ρίζες βαθιές κι αγαπούσα.

Γ.Ξ. Στογιαννίδης, *Ενοχή αθωότητος*

House in Maroneia

Here in my birthplace
I had deep roots and I loved.

G.X. Stogiannidis, *Guilt of Innocence*

Ξύλινη μωρουδιακή κούνια στο Λαογραφικό Μουσείο Ξάνθης
Back of a wooden cradle in the Xanthi Folk Museum

Λεπτομέρειες από γυναικείες
παραδοσιακές στολές
στο Λαογραφικό Μουσείο Ξάνθης

*Πραματευτής κατέβαινε 'πό μέσ'
απ' τα μπαλκάνια,
σέρνει μουλάρια δώδεκα ασήμι
φορτωμένα.*

Από δημοτικό τραγούδι της Θράκης

**Details of traditional costumes
in the Xanthi Folk Museum**

*A pedlar swung down from
the mountains,
driving twelve mules, with silver
heavy laden.*

From a Thracian folk song

Στη Σμίνθη του νομού Ξάνθης

Αγγέλοι, δώστε με φτερά και δύναμη στις πλάτες,
για να πετώ, να κυνηγώ ξανθιές και μαυρομάτες.

Δημοτικό τραγούδι της Θράκης

At Sminthi, prefecture of Xanthi

Angels, a pair of wings I beg, and strength to rise and soar,
that I may fly seeking blondes and black-eyed maidens.

Thracian folk song

Πομάκισσα

Άσπρη 'σαι σαν το γιασεμί, αφράτη σαν τον άρτο,
ας σ' είχα στες αγκάλες μου μιαν ώρα κι ένα κάρτο.

Pomak woman

Plump and full as a risen loaf, and fair as the jasmine flower,
would that I had you in my arms for an hour and a quarter.

Η γέφυρα Κομψάτου Ροδόπης
The Kompsatou Bridge, prefecture of Rodopi

Δεξιά: Σπίτια της Κερασέας, στα ορεινά του νομού Ροδόπης
Right: Houses in Kerasea, in the highlands of Rodopi

*Δέντρο της παραποταμιάς, χαμήλωσε τις κλώνοι,
να με τους πάρεις τους καημούς και τις περίσσοι
πόνοι.*

Δημοτικό τραγούδι της Θράκης

*For you was planted the patience tree,
and the woes of the world have fallen on me.*

Thracian folk song

74

Είναι ανάγκη να γράφεις ποιήματα για να είσαι
ποιητής; Ή να ξέρεις τις νότες για να είσαι μουσικός;
Ή να είσαι θρήσκος για να φτάσεις στον Παράδεισο;
Να τονα ο Παράδεισος, και αν έχεις μάτια βλέπεις.
Αν δεν έχεις μάτια, ούτε στη γη ούτε στον ουρανό
Παράδεισο δεν πρόκειται να γνωρίσεις.

Μαρία Ιορδανίδου, *Λωξάντρα*

Ξάνθη. Παζάρι

*Ξεπέζεψε τις έγνοιες σου
κι έλα να γλυκαθείς.*

___

Xanthi. Bazaar

*Lay down all your burdens
and come and be refreshed.*

Do you have to write poetry in order to be a poet? Or to know the
names of the notes in order to be a musician? Or to be pious in
order to get to Paradise? This is Paradise, right here, for anyone
who has the eyes to see it. And if you don't, then you're not
going to know any Paradise, either on earth or in heaven.

Maria Iordanidou, *Loxandra*

Πουλώντας καλάθια στην Ξάνθη

*Τρανά, γερά και έμορφα
σας τα 'χω καμωμένα.*

Basket-seller in Xanthi

*Proud and strong and beautiful
I have made them for you.*

75

Στα ορεινά του νομού Ξάνθης

Εδώ κοιμούνται μέσ' στα φυλλώματα οι Νεράιδες
και ξυπνούν το βράδι στην παραστιά,
με το παραμύθι.
Εδώ κλώθουν οι μάνες της ξενιτιάς το παράπονο,
μοίρα κι αίμα,
αυτού του τόπου.

Κατίνα Βέικου-Σεραμέτη, *Ρυθμοί*

In the highlands of Xanthi

Here sleep the wood sprites, here among the leaves,
waking in the evening at the fireside's
whispered tales.
Here the mothers spin their laments for those far away,
the fate and the blood
of this land.

Katina Veikou-Serameti, *Rhythms*

Πυκνότατη λευκή ομίχλη υπερεπλήρου την
ατμοσφαίραν αποκρύπτουσα από των
οφθαλμών ημών ως και τας απέναντι στέγας.

Γεώργιος Βιζυηνός, «Αι συνέπειαι της παλαιάς ιστορίας»

A dense white fog, a veritable condensation
of the atmosphere, hid from our eyes even
the roofs across the way.

Georgios Vizyinos, "The consequences of an old story"

Στα πεδινά του νομού Ροδόπης

Σαν το δικό μου τον καημό στη γης
δεν είν' χορτάρι,
ούτε στη Μαύρη Θάλασσα τόσο
μεγάλο ψάρι.

Δημοτικό τραγούδι της Θράκης

In the lowland plains of Rodopi

A woe such as mine has no equal;
neither does the world
have so much grass, nor the
Black Sea so great a fish.

Thracian folk song

Σε χωράφια του Κέχρου,
στα ορεινά του νομού Ροδόπης

*Γιά πλούσιο γιά ταπεινό,
χαρές και ντέρτια σέρνεις.*

In the fields of Kehros,
in the Rodopi highlands

*Whether rich or poor,
thou hast of joys and sorrows a store.*

Δηώ, παμμητέρα θεά, πολυώνυμη θεότητα,
σεμνή Δήμητρα, παιδοτρόφα, ολβοδότειρα,
πλουτοδότρα θεά, σταχυοτρόφε, παντοδότρια,
που χαίρεσαι στην ειρήνη και στις πολύμοχθες εργασίες,
σπορική, σιτοδότρα, αλωνιαία, χλωρόκαρπη,
ω περιπόθητη, εράσμια, θρέπτειρα όλων των θνητών.
Ορφικός ύμνος 10, μετάφραση Δ.Π. Παπαδίτσας - Ε. Λαδιά

Deo, o mother of all, goddess of many names,
o decorous Demeter, nurse of children, giver of happiness,
supplier of wealth, cultivator of wheat, all-provider,
rejoicing in peace, in the sweat of the brow,
seed-sower, giver of wheat, grain-thresher, fruit-bearer,
o much-desired, much-beloved, nourisher of all mortals.
Orphic paean 10

Λεπτομέρειες από γυναικείες
παραδοσιακές φορεσιές
στο Λαογραφικό Μουσείο Ξάνθης
Να τα φορούν οι έμορφες,
να λιώνουν οι λεβέντες...

Details of traditional costumes
in the Xanthi Folk Museum
Let the pretty lasses wear them,
the hearts of the lads to melt...

Χρυσή κλωστή και βελονιά
απ' τα χρυσά σου χέρια.

Golden thread and fine stitchery
from your enchanted fingers.

Αρχοντικό στα Άβδηρα
Mansion in Avdera

Δεξιά: Χαρακτηριστική πρόσοψη σπιτιού στο Διδυμότειχο
Right: Typical façade of a house in Didymoteichon

Λεπτομέρεια ψηφιδωτού δαπέδου από κατοικία στη Μαρώνεια.
Detail of a mosaic floor from a house in Maroneia.

Δεξιά: Ο θεός Διόνυσος. Αρχαιολογικό Μουσείο Κομοτηνής
Right: Dionysus. Komotini Archaeological Museum

Στην περιοχή του χωριού Πάνδροσος
του νομού Ροδόπης

Near the village of Pandrosos,
prefecture of Rodopi

89

Βιστονίδα
Lake Vistonis

Πού πας, πουλί μου, δεν το λες,
τι 'ναι το ντέρτι σου και κλαις;
Πού πας και πού θα μείνεις
κι εμένα πού μ' αφήνεις;
Δημοτικό τραγούδι της Θράκης

Where are you going, my little bird,
                              why don't you tell,
what is your sorrow and you are crying?
Where are you going and
                              where will you stay,
and where will you leave me?
Thracian folk song

**Στο δάσος της Χαϊτούς κοντά
στη Σταυρούπολη του νομού Ξάνθης**

*Να μας ξεριζώσεις τώρα
μη σε τρώει η αποθυμιά!
όλ' η Γης είναι μια Χώρα
ένα Δρυ και Ρίζα μια!*

Κώστας Βάρναλης, «Βάστα, καρδιά...»

**In the Haitous Forest near Stavroupoli,
prefecture of Xanthi**

*Do not burn with desire
to uproot us now!
all the Earth is but a single Land,
a single Oak and a single Root!*

Kostas Varnalis, "Hold, o heart..."

Σα δέντρο η μνήμη,
που ταλανίζεται ολοένα,
φυλλοβολεί,
ή ανανεώνεται.
Ακολουθεί τον προδιαγραμμένο της ρυθμό!
Κατίνα Βέικου-Σεραμέτη, *Όταν η σιωπή...Ελεγείο*

Memory, like a tree
buffeted continually,
sheds its leaves,
or renews itself.
Following its own prescribed rhythm!
Katina Veikou-Serameti, *When the Silence... Elegy*

Γυναίκα Ρωμά πλέκει καλάθια
στο Δροσερό Ξάνθης

**Rom woman weaving baskets
in Drosero, prefecture of Xanthi**

**Αριστερά: Εκθέματα από το Μουσείο Καλαθοπλεκτικής
των Ρωμά στην Κομοτηνή**

Μέρος της μοναδικής αυτής συλλογής από
εργαλεία, υλικά πλοκής και καλάθια των Ρωμά
αλλά και των Πομάκων, καθώς και Ελλήνων του
Ευξείνου Πόντου που βρέθηκαν στην περιοχή
μετά τον ξεριζωμό τους από τα μέρη τους, στις
αρχές του 20ου αι.

**Left: Exhibits from the Rom Basket-Weaving
Museum in Komotini**

Part of this unique collection of tools, weaving materials
and baskets originating with the Rom (Gypsy) and
Pomak peoples as well as with Greeks from the Black
Sea provinces who were exiled from their homelands in
the early decades of the 20th century and found refuge
here.

Πομάκισσες σε γεφύρι στη Σμίνθη

Διψούν τα λάφια για νερό και τα πουλιά για δρόσο,
διψούν και οι ευγενικές για μια καθάρια βρύση.

Δημοτικό τραγούδι της Θράκης

Pomak women on bridge at Sminthi

The deer thirst for water and the birds for dew drops,
and the maidens thirst for a pure spring.

Thracian folk song

Λυγερή μου παντρεμένη
την καρδιά μου 'χεις καμένη.
Καρτερώ στη ρεματιά
μη και σ' εύρω μοναχιά.

Slender bride of another
you have set my heart on fire.
By the stream I will stand in wait
lest I catch you all alone.

Στο Δέλτα του Νέστου

Σ' απανωσιά, σε βάθος και σε ψήλος δεν είναι τίποτα παντοτινό, δεν είναι τίποτα καινούριο. Τόσο μοιάζουνε το σήμερα με το χτες και το χτες με το άβριο.

Κώστας Βάρναλης, «Ο μονόλογος του Μώμου»

In the Delta of the Nestos

Nowhere in the wide world, neither in the heights nor in the depths, is there anything that lasts for ever; nor is there anything that is new. Today, how it resembles yesterday, and how yesterday resembles tomorrow.

Kostas Varnalis, "The monologue of Momus"

Αέρινες νεφέλες, καρποτρόφες, ουρανοπλάνητες,
βροχογεννήτρες, που με τους ανέμους κινάτε
προς τον κόσμο,
βροντερές, πυρώδεις, βαρύγδουπες, υγροπόρευτες,
που κλείνετε στα βάθη τον φρικαλέο πάταγο
του αέρα,
αντίμαχες στους ανέμους γοργόδρομα βροντάτε,
παρακαλώ σας τώρα, δροσένδυτες, καλόπνευστες
με αύρες,
να πέμπετε όμβρους καρποτρόφους στη μητέρα γη.
Ορφικός ύμνος 21, μετάφραση Δ.Π. Παπαδίτσας - Ε. Λαδιά

Airy clouds, fruit-fatteners, heaven-wanderers,
rain-bearers, who ride the winds around the world,
rumbling, thundering, fire-flashing, rain-lashing,
sealing the monstrous clamour of the skies,
batting the winds as you roar and race,
I beg of you, with your freshness and your
favourable winds,
send the fruit-swelling rain down to our mother earth.
Orphic paean 21

Στους Μεταξάδες
του νομού Έβρου

Κλώσσα μ' τα πουλιά σ'
δεν τα 'βγαλες σωστά.

Δημοτικό τραγούδι της Θράκης

In Metaxades,
prefecture of Evros

Mother hen, your little chicks
have hatched out all awry.

Thracian folk song

Σπίτια του χωριού Νυμφαία, στο Παπίκιο όρος

*Βρίσκουν το σπίτι κλειδωτό, κλειδομανταλωμένο,
και τα σπιτοπαράθυρα που 'ταν αραχνιασμένα.*

Από δημοτικό τραγούδι της Θράκης

Houses at Nymphaia, on Mount Papikion

*They find the door locked and barred,
the windows spider-sealed.*

From a Thracian folk song

100

Προθήκη σιδηρουργείου στην Ξάνθη

Ήφαιστε, να 'σουν να μας δεις,
να σ' έτρωγε η ζήλεια.

Blacksmith's shed in Xanthi

O Hephaistos, could you see us now,
your heart would burst with envy.

Δεξιά: «Εφαπλωματοποιείον»
στην Κομοτηνή

Right: Quilt-maker's in Komotini

Στάνη στο Παπίκιο όρος

Κοίτα να βρεις τη βαρύτητα
Τη χαμένη Ειρήνη
Και τη μνήμη
Στην ανάσα του ζώου που ρουχνίζει
Μην κλαις τους φτωχούς.

Κώστας Θρακιώτης, *Απ' τη φυλακή του χρόνου*

Sheepfold on Mount Papikion

Seek to find gravity
The lost peace
And memory
In the breath of the snuffling animal
Do not weep for the poor.

Kostas Thrakiotis, *From the Prison of Time*

Γωνιά κουζίνας στη Σταυρούπολη

*Και σπιτικό που ο ακρογωνιαίος λίθος
του δεν είναι κάτω απ' την κουζίνα,
δε θεμελιώνεται καλά.*

Μαρία Ιορδανίδου, *Λωξάντρα*

Kitchen corner in Stavroupoli

*A house whose cornerstone is not laid
beneath the kitchen, is not laid on
firm foundations.*

Maria Iordanidou, *Loxandra*

Πιάτα και σκεύη σε πιατοθήκη
σπιτιού της Σταυρούπολης

–Ω... ωχ!... χασμουρήθηκε.
Μπρε Ταρνανά, τι ώρα είναι;
Τρεις! Άντε, γιόκα μου, ψήσε με
τον καφέ μου, άντε πασά μου.

Μαρία Ιορδανίδου, Λωξάντρα

**Plate-rack in the kitchen
of a house in Stavroupoli**

–Ooooh... Aaaaah!... she yawned.
Sakes alive, Tarnanas, whatever time
is it? Three! Be a good fellow and get
my coffee ready, that's a good chap.

Maria Iordanidou, Loxandra

106

Στην αγορά της Κομοτηνής

Ποια υλικά τα σπίτια μας
αύριο θα χτίσουν;
Ποιο όχημα στο μέλλον
θα μας οδηγήσει;

Θανάσης Μουσόπουλος, *Άδηλες σχέσεις* (ανέκδ.)

___

At the marketplace in Komotini

What materials will build
our houses of tomorrow?
What vehicle will carry us
into the future?

Thanasis Mousopoulos, *Unspoken Relations* (unpubl.)

Αχνή σιλουέτα ο άνθρωπος
που χτες του άπλωσες το χέρι.

Θανάσης Μουσόπουλος, *Διοίκηση αλλοτρίων*

___

The man to whom you extended a hand yesterday
is today no more than a faint silhouette.

Thanasis Mousopoulos, *Alien Administration*

Κάνει λιμόνια πράσινα, κι φύλλα χρυσαφένια.
Όποιους τα κόψει κόβιτι, κι όποιους τα φάει πιθαίνει.
Κι όποιους τα βάλ' στουν κόρφου του, αγάπις δεν κιρδαίνει.
Από δημοτικό τραγούδι της Θράκης

Its fruit is lemons all of green, its leaves of burnished gold.
Whoever cuts them cuts himself; whoever eats, shall die.
And whoever puts them in his breast, true love shall never win.
From a Thracian folk song

Αγοράζοντας λουλούδια στο παζάρι της Κομοτηνής

Γαρουφαλιάς γαρούφαλο και κανελιάς κανέλα,
αν μ' αγαπάς, πουλάκι μου, κάνε τον τρόπο κι έλα.

Δημοτικό τραγούδι της Θράκης

Bying flowers at the bazaar in Komotini

Pretty flower of carnation, stick of cinnamon,
if you love me, my little bird, find a way and come.

Thracian folk song

Μια γωνιά στην αγορά της Κομοτηνής

Η μέρα θέλει τα γλυκά κι η νύχτα τα καλούδια...

A corner of the marketplace in Komotini

Sweets for the day and goodies for the night...

Αριστερά: Άβδηρα

Λιθόστρωτη αυλή σπιτιού της Ελληνιστικής περιόδου.

Δεξιά: Μαρώνεια

Προπύργιο με τοξωτές πύλες, που οδηγούσε στην αγορά της Ρωμαϊκής περιόδου.

Κάτω: Φρούριο Καλύβας

Κυκλικός πύργος. 4ος αι. π.Χ.

Left: Avdera

Paved courtyard of a villa from the Hellenistic period.

Right: Maroneia

Bastion with arched gateways, which led into the Roman Agora.

Bellow: The Kalyva fortress

Round tower. 4th cent. BC.

Απέναντι: Δύο γυναικείες φιγούρες, Έρως, Ερμής και Απόλλων

Πήλινα ειδώλια από τα Άβδηρα. 4ος αι. π.Χ. Αρχαιολογικό Μουσείο Κομοτηνής.

Opposite: Two female figures, Eros, Hermes and Appolo

Terra-cotta figurings from Avdera. 4th cent. BC. Komotini Archaeological Museum.

112

Στην Κομοτηνή

Θα μπορούσα να δροσιστώ,
αποφεύγοντας τ' αναψυκτικά της δραχμής
βουτώντας σε κρυστάλλινες μνήμες.

Γ.Ξ. Στογιαννίδης, *Αφήγηση ξεναγού*

In Komotini

I could seek refreshment,
rejecting the tuppenny-ha'penny beverages
plunging into the crystal clarity of memory.

G.X. Stogiannidis, *A Guide's Tale*

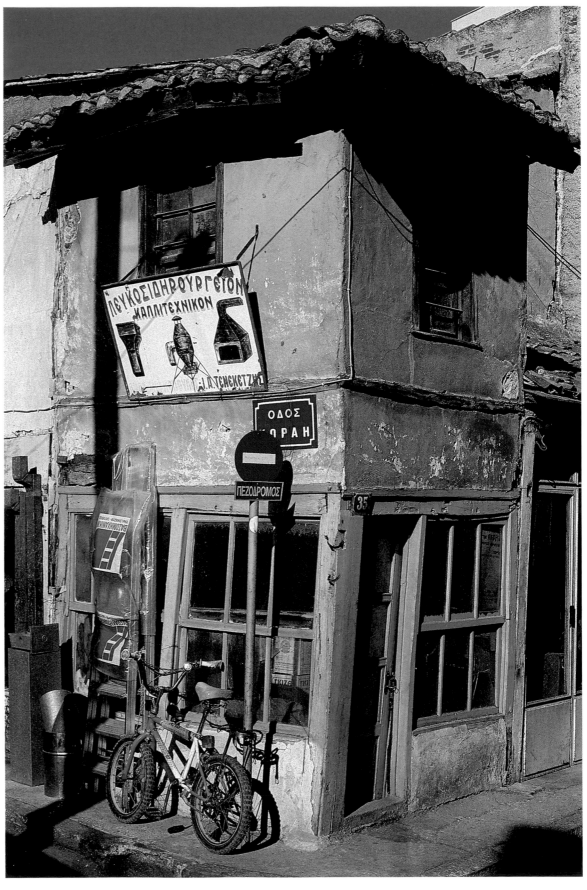

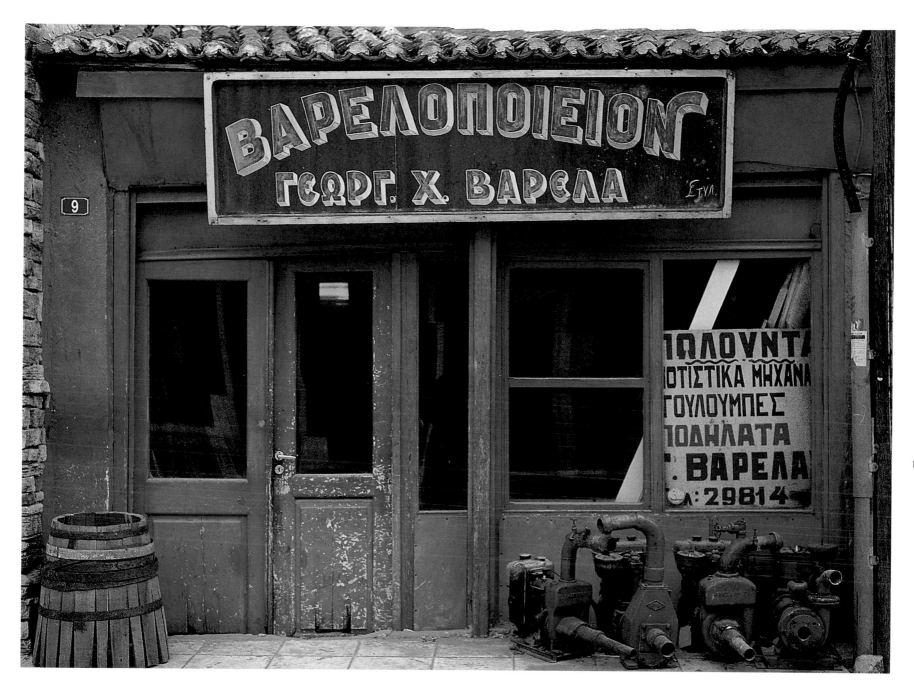

Λάδι, κρασί·
λαρδί, τουρσί·
όλα βαρέλι θέλουν...

Oil, wine,
lard, pickles;
all in barrels they go...

Αυτό το παράρτημα της ψυχής
που πούλησες «επί αντιπαροχή», στο μέλλον
θα σου γεννήσει πολλά προβλήματα.
Θανάσης Μουσόπουλος, *Διοίκηση αλλοτρίων*

That part of your soul
that you sold (in exchange for what?)
                              will in the future
cause you endless problems.
Thanasis Mousopoulos, *Alien Administration*

Παραδοσιακό αρτοποιείο στην Ξάνθη

*Λιμπιστικά και τραγανά
με μπόλικο σουσάμι...*

Traditional bakery in Xanthi

*Crusty and light,
with sesame dight...*

...και δος ημίν τον άρτον τον επιούσιον.

...and give us this day our daily bread.

Καφενείο στο Σουφλί

Αχ, πού 'σαι, νιότη, που 'δειχνες,
πως θα γινόμουν άλλος!

Κώστας Βάρναλης, *Σκλάβοι πολιορκημένοι*

Kafenion in Soufli

Ah, where have you gone, youth,
who promised
I would become someone else!

Kostas Varnalis, *Besieged Slaves*

**Υφαίνοντας χαλιά στο Αλεποχώρι
του νομού Έβρου**

*Ποιος βλαστήμσι, λιες, ντη υφάντρα
κι δεν είθκι πλάι τς άντρα
κι όπους θιέλ(ι) του μουχαμπέτ',
ούτι κι: μουστακουδέτ'!;...*

Κατίνα Βέικου-Σεραμέτη, Ξαθθιώτκα

**Carpet weaving in Alepohori,
prefecture of Evros**

*Who can have ill-wished the weaver woman,
that she cannot find a husband
– in fact, if the rumours are true,
she hasn't even so much as a moustache band!*

Katina Veikou-Serameti, *In Xanthian*

Σαμοθράκη. Ο καταρράκτης του Φονιά

*Και έθαλλε λοιπόν εκεί, κατά μήκος
του γλαυκού και λάλου ρείθρου,
εκτενής χλοερά όασις.*

Γεώργιος Βιζυηνός, «Ο Μοσκώβ Σελήμ»

Samothrace. Fonia Cataract

*And there, by the sky-pale babbling
brook, there flourished a vast verdant
oasis.*

Georgios Vizyinos, "Moskov Selim"

Απέναντι: Σαμοθράκη. Παχιά Άμμος

*Θυμήσου
έρημο ακρογιάλι
(στου ονείρου τ' ανθογυάλι),
παλιοί καημοί, τόσες αγάπες.*

Κατίνα Βέικου-Σεραμέτη, *Κύματα και Ψίθυροι*

Samothrace. Pahia Ammos

*Remember
deserted seashore
(in the crystal glass of dream)
old woes, so many loves.*

Katina Veikou-Serameti, *Waves and Whispers*

120

Σαμοθράκη. Η θόλος της Αρσινόης, συζύγου του Λυσιμάχου. 288-281 π.Χ.

Πάνω απ' το μέτωπό σου σταύρωσες
τ' Ορφικό μαρτύριο.
Απ' τη θειάφινη γαλήνη σου γνώρισα
την Καβείριαν αστραπή
Κι από τα πλήθη των μυστών στους
κύκλιους άγριους χορούς σου.

Κ. Θρακιώτης, *Συμφωνία του Ορφικού ρόδου*

Samothrace. The Tholos of Arsinoe, wife of Lysimachus. 288-281 BC

Upon your forehead, the sign of
Orpheus is graven.
I have known the Cabeirian thunderbolt
through your sulphurous serenity
And from the crowds of initiates at
your wild circular dances.

K. Thrakiotis, *The Symphony of the Orphic Rose*

Σαμοθράκη. Κίονες του Ιερού

Εδώ γινόταν η μύηση του δευτέρου βαθμού, η «εποπτεία». 325-150 π.Χ.

Μέσα στο φως,
τα σμιλεμένα μάρμαρα
καταυγάζουνε φως
και τα σεβάστηκαν οι αιώνες.

Κατίνα Βέικου-Σεραμέτη, *Επιμύθιο*

Samothrace. Columns of the Hieron

Here were held initiations into the second degree, the "inspectorate". 325-150 BC.

Bright in the light,
the chisel-hewn marbles
give out light
and the centuries have respected them.

Katina Veikou-Serameti, *Epimythio*

122

Σαμοθράκη. Παναγία Κρημνιώτισσα
Κεντίδια και μαλάματα
στης Παναγιάς τη χάρη.

Samothrace. Panagia Kremniotissa
Embroidery and golden offerings,
to the glory of Our Lady.

Ένα σκαλί / στο μεταξύ
της γης και τ' ουρανού.

A stepping-stone / midway
'twixt heaven and earth.

124

Κοντά στη Μαρώνεια

Ξανανιωμένα απ' το λουτρό
        να ροβολάνε κάτου
την κόκκινη πλαγιά χορεφτικά
τα πέφκα, τα χρυσόπεφκα,
        κι ανθός του μαλαμάτου
να στάζουν τα μαλλιά τους
        τα μυριστικά.

Κώστας Βάρναλης, *Το φως που καίει*

Near Maroneia

Refreshed by this shower
they dance down the rosy slope,
the pines, the golden pines,
        and flowers of gold
their fragrant hair dripping down.

Kostas Varnalis, *The Burning light*

Δεξιά: Σαμοθράκη. Ο καταρράκτης του Φονιά

Τα χιονόψυχρά της ύδατα τόσον διαυγή,
όσον να είναι υγροί αδάμαντες, αναθρώσκουσι
φωσφορίζοντα εκ του βάθους λευκοτάτου
τιτανώδους βραχώματος.

Γεώργιος Βιζυηνός, «Ο Μοσκώβ Σελήμ»

Right: Samothrace. Fonia Cataract

Its snow-cold waters, as clear as liquid
diamond, gush sparkling out of the heart
of a massive pure white rock.

Georgios Vizyinos, "Moskov Selim"

Απομεινάρια πύργου των Γκατιλούζι
στη Χώρα της Σαμοθράκης
**The ruins of a Gattilugi tower
in Hora, Samothrace**

Σαμοθράκη. Η Χώρα

*Πάντα πιστή, στη θύμησή σου, χώμα ιερό,
σ' ευλαβικό προσκύνημα θα 'ρθω και πάλι.
Προσκύνημα –στα διπλωμένα τα φτερά–
της ιστορίας· του θρύλου, που ανάερα πλανιέται.*

Κατίνα Βέικου-Σεραμέτη, *Κύματα και Ψίθυροι*

Hora, Samothrace

*Ever faithful to your memory, o sacred soil,
I shall return in humble pilgrimage again.
In pilgrimage –to the folded wings–
of history; of the legend that haunts this place.*

Katina Veikou-Serameti, *Waves and Whispers*

Εσωτερικά σπιτιού στο Διδυμότειχο

*Αριστερά ήταν το σαλόνι και δίπλα ήταν το χαμηλό
ονταδάκι της νοικοκυράς. Η «κόχη» της. Εκεί που ήταν
ο πλατύς σοφάς, πέρα για πέρα απ' τη μιαν άκρη της
κάμαρας ως την άλλη, και τα μεγάλα γιούκια.*

Μαρία Ιορδανίδου, *Λωξάντρα*

Interior of a house in Didymoteichon

*To the left was the parlour, and next to it the little private
room of the lady of the house. Her "niche". With its wide
divan, embracing the whole width of the room, and the
big chests of bedclothes.*

Maria Iordanidou, *Loxandra*

*Θα 'θελα την Ποίηση
Να κυματίζει σ' όλα τα σπίτια των φτωχών.*

Κώστας Θρακιώτης, *Η οργή των αγαλμάτων*

*I want Poetry
To wave over the houses of the poor.*

Kostas Thrakiotis, *The Wrath of the Statues*

130

**Παραδοσιακό αρτοποιείο
στη Χώρα της Σαμοθράκης**

*Ειρήνη είναι
το ζεστό ψωμί
στο τραπέζι του κόσμου.*

**Traditional bakery
in Hora, Samothrace**

*Peace is
the warm crusty loaf
on the table of the world.*

*Αφράτο είναι το ψωμί,
μα δίκιο και στο ζύγι.*

---

*The loaf is light and tender,
but also of full weight.*

Στο Σουφλί

Εδώ
–στην επαρχία–
–στην υπαρχία–
υπάρχω.

Θανάσης Μουσόπουλος, *Οιακισμοί*

In Soufli

Here
–in the provinces–
–in the anterooms–
I exist.

Thanasis Mousopoulos, *Steerings*

132

Καινούρια πηγάδια ν' ανοίξουμε πρέπει·
τις ελπίδες μας θα τις βρούμε ξανά,
στη μετεμψύχωση του νερού...
Θανάσης Μουσόπουλος, *Ο ήλιος σκιάδιο*

We must dig new wells;
to find our old hopes
in the metempsychosis of the waters...
Thanasis Mousopoulos, *The Sun Sunshade*

Σουφλί. Το Μουσείο Μετάξης
Soufli. The Silk Museum

«Οίνοι-Αποικιακά» στο Διδυμότειχο

Στου Βάκχου μέσα το ναό τον ιερό
μεταλαβιά, διαβάτη, αρχαία μπες
και γέψου

"Wines - Colonial Products"
in Didymoteichon

Step within the sanctuary
sacred to Dionysus, o traveller,
and taste of the ancient mystery.

Στο εσωτερικό του μαγαζιού

Μαυρουδής καραγκιουζέλ',
Μαυρουδής πουλάει κρασί,
Μαυρουδής πουλάει κρασί,
*   μες τ'ν Ανδριανούπολη.*

Δημοτικό τραγούδι της Θράκης

Inside the shop

Mavroudis, handsome dark man,
Mavroudis, seller of wine,
Mavroudis, seller of wine,
*   in Adrianoupoli.*

Thracian folk song

136

Τραϊανούπολις

Επάνω: Επιτύμβια στήλη Διογένειας και Ιουλιανού. 2ος αι. μ.Χ.

Δεξιά: Η είσοδος της «χάνας», που εξυπηρετούσε τους ταξιδιώτες της Εγνατίας και τους επισκέπτες των ιαματικών πηγών. 1375-1385 μ.Χ.

Traianoupolis

Above: Funerary stele to Diogeneia and Julian. 2nd cent. AD.
Right: Entrance to the "hana", which provided a resting-place for travellers on the Via Egnatia and visitors to the spa. AD 1375-1385.

Μεσημβρία/Ζώνη

Κατοικίες και δρόμος του
περιτειχισμένου οικισμού.
4ος αι. π.Χ.

Οι πέτρες, οι πέτρες αυτές που
μας έμειναν κληρονομιά
Για να φτιάσουμε το σπίτι μας
Να στολίσουμε τα υπάρχοντά μας
Δεν είχαν πρόσωπο ή ευαισθησία
να μας αλλάξουν.

Κ. Θρακιώτης, *Απ' τη φυλακή του χρόνου*

Mesemvria/Zone

Road and houses
in the walled settlement.
4th cent. BC.

The stones, these stones
that we inherited
To build our houses with
To decorate our possessions
They had neither face
nor feelings to change us.

K. Thrakiotis, *From the Prison of Time*

138

Το χωριό Ρεύμα, νομός Ξάνθης
The village of Revma, prefecture of Xanthi

Στο χωριό Παλιούρι του νομού Έβρου

Πόσο πνιχτά ανασαίνουνε της γης τα
σπλάχνα, που κάποτε με ξεπετάξανε
στον ανοιξιάτικον αέρα μ' ένα χαρούμενο
σπασμό!...
Κώστας Βάρναλης, «Ο μονόλογος του Μώμου»

In the village of Paliouri, prefecture of Evros

How suffocating the breath of the bowels
of the earth, which once upon a time with
a joyful eructation belched me out into
the fresh spring air!...
Kostas Varnalis, "The monologue of Momus"

Στους Μεταξάδες

Και στη γωνιά του δρόμου μόνο
να βγεις
θ' αντικρίσεις τον άνθρωπο να σε
περιμένει.
Αποφάσισε αν τον δεις ή αν αλλάξεις
δρόμο.

Θανάσης Μουσόπουλος, *Ο ήλιος σκιάδιο*

In Metaxades

Even if you only go to the corner
of the road,
you will see someone who is
waiting for you.
Make up your mind whether you will
see him or cross to the other side.

Thanasis Mousopoulos, *The Sun sunshade*

Απέναντι: Πομάκικο σπίτι στα ορεινά του νομού Ξάνθης

Βαθεία σιωπή επεκράτει ανά την οικίαν. Αλλά τα πάντα περί εμέ ήσαν αμετάβλητα· η αυτή, ως και άλλοτε, καθαριότης πανταχού, η αυτή τάξις, η αυτή ακρίβεια περί την τοποθέτησιν ενός εκάστου οικιακού σκεύους.

Γεώργιος Βιζυηνός,
«Το μόνον της ζωής του ταξείδιον»

Opposite: Pomak house in the highlands of Xanthi

The house was plunged into deep silence. But around me nothing had changed: it was still as clean as ever, as tidy as ever, with that same precision in placing each household utensil.

Georgios Vizyinos,
"The only voyage of his life"

Το κάστρο του Άβαντα, στο νομό Έβρου

Αιώνες στέκει εδώ, μάρτυρας αδιάψευστος του ρόλου της νοτιοδυτικής Θράκης στα Βυζαντινά χρόνια.

Εκεί ψηλά θωρείς την άγια του Πατέρα γνώμη
στη βαθιά των ματιών του γαλανάδα.
Πες μας, κι αν όλα χάνονται, μένουν αιώνιοι νόμοι
Θεός και Πατρίδα κι Αρετή, –Τριάδα!–
απόλυτες κι ανάλλαγες δυνάμεις, που χωρίς αρχή,
χωρίς σωμόν, απ' την παλιά στη νέα διαβαίνουνε ψυχή.

Κώστας Βάρναλης, Σκλάβοι πολιορκημένοι

The fortress of Avantas, prefecture of Evros

For centuries this fortress has stood here, attesting to the importance of southwestern Thrace throughout the Byzantine era.

From those heights one can see the holy wisdom of the Father
in the deep blue of his eyes.
Tell us, even if all else is lost, there still remain the eternal laws
God and Country and Virtue –the Trinity!–
absolute and unchanging forces, which without beginning,
without ending, pass from the old soul to the new.

Kostas Varnalis, *Besieged Slaves*

143

Ο κατακλυσμός άφησε κι όρθιες
πέτρες στη διαδρομή.
Θανάσης Μουσόπουλος, *Οιακισμοί*

The flood even left some boulders
standing in its way.
Thanasis Mousopoulos, *Steerings*

Παναγία Κοσμοσώτειρα Φερών

Το λαμπρότερο καθολικό βυζαντινής μονής στη νοτιοδυτική Θράκη. Αυτοκρατορικό εγκαθίδρυμα, κτισμένο το 1152 από τον Ισαάκιο Κομνηνό, γιο του αυτοκράτορα Αλεξίου Α΄, με μετακλητούς από την Κωνσταντινούπολη μαστόρους.

Pherae - Panagia Kosmosoteira

The most magnificent Byzantine monasterial church in south-western Thrace, this was an imperial establishment built in 1152 by Isaakios Komnenos, the son of Alexios I, using craftsmen brought from Constantinople.

Υπάρχει παντού μια ιερή κόγχη,
παντού υψώνεται ένας ναός
–όπου έναν καιρό οι σκλάβοι κατάδικοι
απόθεταν τις σπασμένες τους αλυσίδες.

Κατίνα Βέικου-Σεραμέτη, *Εγερτήρια*

In every place there is a sacred corner,
in every place there stands a church
–where once upon a time the convict slaves
cast their broken chains.

Katina Veikou-Serameti, *Reveille*

146

Τοιχογραφίες σε ναό του Αγίου Αθανασίου
στο Αλεποχώρι του νομού Έβρου

Frescos in the church of Agios Athanasios
in Alepohori, prefecture of Evros

147

То τέμπλο του ναού του Αγίου Αθανασίου,
στο Αλεποχώρι του νομού Έβρου

Ήταν μια ομορφιά / Μια υπερκόσμια επικοινωνία,
που θα μείνει / στους χώρους του αζήτητου

Κατίνα Βέικου-Σεραμέτη, *Επιμύθιο*

The screen in the church of Agios Athanasios
in Alepohori, prefecture of Evros

It was something beautiful / A communication from beyond this world,
which will remain forever / in the realm of the unexplained.

Katina Veikou-Serameti, *Epimythio*

148

Δεντρί του Παραδείσου είναι το μπόγι σου
και της κανέλας τ' άνθι είναι το σόγι σου.
Δημοτικό τραγούδι της Θράκης

Tall as a tree in the Garden of Eden
and made like a cinnamon flower.
Thracian folk song

Δεξιά: Στον Νέστο
Right: River Nestos

Στα Άβδηρα

Αν πας σε σπίτι καπνατζή,
θα διεις και θα θαμάξεις,
ουδέ νερό θα βρεις να πιεις
και κάθισμα να κάτσεις.

Δημοτικό τραγούδι της Θράκης

In Avdera

In the tobacconist's house,
now what do you think,
there's no chair to sit on,
no water to drink.

Thracian folk song

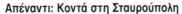

Απέναντι: Κοντά στη Σταυρούπολη

Πρώτα, δεύτερα, κιριντιά, ρεφούζια...
Αχ, εκείνα τα μαξούλια, σαν τα πιάναμε
στα χέρια μας... Είδες το σαράφη πώς
χαϊδεύει τη λίρα; Το ίδιο, λίρα ήταν για
μας τον καπνό και το χρώμα ολόιδιο
το κιαρατένιο...

Στέφανος Ιωαννίδης, «Οι Ντεγκτσήδες»

Opposite: In Stavroupoli

First, second, kirindia, refouzia... Ah,
those leaves, how it felt to hold them...
Have you seen how the money-changer
caresses the gold pieces? Well, for us
the tobacco was our gold, and it had
the same wicked golden colour, too...

Stefanos Ioannidis, "The Degtsidhes"

Ξάνθη. Παλιά Πόλη
Xanthi. Old Town

Απέναντι: Νερόμυλος κοντά στο Ωραίο,
στα ορεινά του νομού Ξάνθης

*Κεί στην άκρη της ρεματιάς είν' ένας μύλος.
Πήγαινε, φτιάξε κατσαμάκι και φάε όσο θέλεις.*
Από πομάκικο παραμύθι

**Opposite: Mill near the village of Oreo,
in the highlands of Xanthi**

*There is a mill down by the stream. Go there,
prepare katsamaki and eat as much as you wish.*
From a Pomak legend

154

Στην Κομοτηνή

Εμαύρισε η καρδούλα μου σαν του ψωμά την πάνα.

Από δημοτικό τραγούδι της Θράκης

In Komotini

My poor heart has turned black, like the baker's
basket.

From a Thracian folk song

Κι εμείς οι τρεις στον καφενέ...
Από σύγχρονο λαϊκό τραγούδι

And we three at the kafenion...
From a modern folk song

Τα φύλλα των υψηλών παραθύρων
ανοιχτά
και 'μείς γυμνοί ανάμεσά τους
να δεχόμαστε τον αγέρα
χωρίς σκέψη για πορείες και τέτοια...
Θανάσης Μουσόπουλος, *Ο ήλιος σκιάδιο*

---

*The shutters of the tall windows
thrown open
and we naked between them
absorbing the breeze
without a thought for marches and suchlike...*

Thanasis Mousopoulos, *The Sun Sunshade*

156

Διδυμότειχο

Στ' αργαστηρούδι μ' κάθουμι,
φλουρούδια καζαντίζου.
Καζάντισα χίλια φλουριά
κι ως πεντακόσια γρόσια,
σι μια βραδιά τα ξόδιασα.

Δημοτικό τραγούδι της Θράκης

Didymoteichon

In my little workshop I sit,
making money.
A thousand fair florins I made in a day
and five hundred groats,
and I spent them all in one night.

Thracian folk song

Από την πόρτα σου πιρνώ, κι απού τη
γειτουνιά σου.
Ακού τη μάνα σ' μάλουνι, κι ανάφιρνι
για μένα.
'Που μάλουμα κι 'που δαρμό αγάπη
δεν χουρίζει.
Κι τη δική μου την καρδιά κανείς
δεν την ουρίζει.

Δημοτικό τραγούδι της Θράκης

I passed by your door, and through
your neighbourhood.
I heard your mother scolding you,
and all because of me.
Love does not recognize scolding
and beating.
And no-one dictates to my heart.

Thracian folk song

Κομοτηνή. Στη γειτονιά των Ρωμά

*Παιχνίδι μες στα χέρια μου,
άδεια γεμάτα αν στέκουν,
ο κόσμος.*

Θανάσης Μουσόπουλος

Komotini. In the Rom quarter

*The world
a toy in my hands
–now full, now empty.*

Thanasis Mousopoulos

Μάνα, ζεστή αγουροξυπνάς μέσα σε
χίλια αρώματα,
φώτα πολλά και χρώματα
και μοναχά απ' το 'γγίμα
τ' αγέρα δένουν μέσα σου κόσμοι και
κόσμοι χύμα!
Κώστας Βάρναλης, «Ο μονόλογος του Μώμου»

*Mother mine, you wake up warm and
sweet-scented,
with a thousand different perfumes
and lights and colours,
and a breath of air suffices for the
inchoate worlds inside you
to take form!*
Kostas Varnalis, "The monologue of Momus"

1828
L'UNION
DE PARIS

ΒΑΡΕΛΟΠΟΙΕΙΟΝ
ΓΕΩΡΓ. Χ. ΒΑΡΕΛΑ

ΡΑΦΕΙΟΝ
Δ. ΠΑΣΧΑΛΗ ΧΡΙΣΤΙΔΗ

ΛΕΥΚΟΣΙΔΗΡΟΥΡΓΕΙΟΝ
ΚΑΛΛΙΤΕΧΝΙΚΟΝ

Ι. Α. ΤΕΝΕΚΕΤΖΗΣ

ΚΑΡΑΓΓΕΛΑΚΗΣ
ΑΓΓΕΛΑΚΗΣ
1926

ΟΙΚ. ΠΕΡΔΙΚΑ 12

Η πόλη είναι έρημη.
Οι βηματισμοί μου μοναχικοί.
Ζωγραφίζω τα επάλληλα σχήματα των εποχών,
τις τρικυμίες,
      του δάσου.

Κατίνα Βέικου-Σεραμέτη, *Όταν η σιωπή...Ελεγείο*

The city is deserted.
My footsteps lonely.
I trace the successive shapes of the seasons,
the tempests,
      of the forest.

Katina Veikou-Serameti, *When the Silence... Elegy*

Στο δάσος της Δαδιάς

Ω φύση, παγγεννήτρα θεά, μητέρα
πολυμήχανη,
ουράνια, πρεσβυτέρα, πολυπλάστρα
θεότητα, άνασσα,
πανδαμάστρια, αδάμαστη, κυβερνήτρια,
ολόλαμπρη.

Ορφικός ύμνος 10,
μετάφραση Δ.Π. Παπαδίτσας - Ε. Λαδιά

In the forest of Dadia

O nature, divine progenitrix of all,
resourceful mother,
celestial, elder divinity, polycreative
deity, queen,
all-taming and untamed,
ruler resplendent.

Orphic paean 10

**Το Πύθιο και το κάστρο του,
στη δυτική όχθη του Έβρου**

Από τα καλύτερα στρατιωτικά αρχιτεκτονήματα του Βυζαντίου, σύμφωνα με τον Γρηγορά κτίστηκε από τον Ιωάννη Καντακουζηνό στα μέσα του 14ου αι. Νεότερες έρευνες ανάγουν την ίδρυση του κεντρικού του πύργου στα 1291-1321.

**Pythio and its citadel,
on the west bank of the Evros**

One of the finest examples of military architecture in the Byzantine world, this building according to Gregoras was erected by Ioannes Kantacouzenos in the mid-14th century. Recent research indicates that the central keep was built between 1291 and 1321.

166

Στο δάσος της Δαδιάς

Αύρες παντογεννήτριες Ζεφυρίτιδες, αεροπλάνητες,
γλοκόπνοες, θροϊστικές, που έχετε την ηρεμία θανάτου,
εαρινές, λιβαδίσιες, αγαπημένες στους όρμους,
που φανερώνετε στα πλοία υπήνεμον όρμον, άνεμο ελαφρό,
ας έρθετε ευμενείς, άμεμπτες να επιπνέετε,
ανάερες, αφανείς, ελαφροφτέρουγες, αερόμορφες.

Ορφικός ύμνος 81, μετάφραση Δ.Π. Παπαδίτσας - Ε. Λαδιά

In the forest of Dadia

O gentle breezes, the breath of life, rustling Zephyrs,
sweet-breathed, air-wanderers, quiet as death,
vernal, meadow-sweet, beloved of the little bays,
guiding the ships to sheltered harbours, light wind,
come and blow now, o excellent favourable breezes,
aerial, invisible, light-winged, air-formed.

Orphic paean 81

Ω φύση, παγγεννήτρα θεά, μητέρα πολυμήχανη,
πάντεχνη, πλάστρα, πολυπλάστρα, θαλασσία θεότητα,
αιωνία, κινητήρια, πολύπειρη, συνετή,
που στροβιλίζεις με αέναη δίνη τη γοργή ροή,
αείρρευστη, κυκλική, αλλομορφομετάβλητη.
Ορφικός ύμνος 10, μετάφραση Δ.Π. Παπαδίτσας - Ε. Λαδιά

O nature, divine progenitrix of all, resourceful mother,
assistant of all arts, creatrix, moulder of all things,
                                    marine divinity,
eternal, mover of all, much-experienced, wise,
who causes the swift current to spin in its
                                    ceaseless maelstrom,
ever-fluid, ever-cyclic, ever-changing.
Orphic paean 10

168

Στον Έβρο

Θετά παιδιά της σιωπής / Δεχτήκαμε τη χαρά του ύψους
Σε μια ηλιαχτίδα κλωναριού /Θωρώντας τον όχτο της ακροποταμιάς
Όπου γαλήνια ο αιώνιος κύκλος / Γυμνώνει τ' αθώα τζιτζίκια
Ασώπαστα σαν τραγουδάνε τον μεγάλον ύπνο.

Κώστας Θρακιώτης, *Πέρα απ' τη δυναστεία και τα οράματα του κόσμου*

River Evros

*Adopted children of silence / We received the joys of the heights
In a sunbeam of a branch / Gazing at the bank at the edge of the river
Where in tranquillity the ageless cycle / Strips naked the innocent cicadas
Ceaselessly singing the eternal sleep.*

Kostas Thrakiotis, *Beyond the Tyranny and the Visions of This World*

Στο Πόρτο Λάγο

Αι δασείαι οφρύς, οι εκ του βάθους των κοιλωμάτων αυτών ζωηρώς σπινθηροβολούντες οφθαλμοί, και τις υπεράνθρωπος νευρική δύναμις εμφωλεύουσα υπό την διαφανή επιδερμίδα των ισχνών και μακρών αυτού δακτύλων...

Γεώργιος Βιζυηνός, «Αι συνέπειαι της παλαιάς ιστορίας»

Porto Lagos

The bushy eyebrows, the bright flashing eyes in their hollows and a superhuman nervous force residing under the transparent skin of his long slender fingers...

Georgios Vizyinos, "The consequences an old story"

170

Ηλιοβασίλεμα στον Έβρο

Όπου ηλίου ακτίς χρυσή,
εκεί άλλ' άστρα δεν ανατέλλουν.

Γεώργιος Βιζυηνός, «Μεταξύ Πειραιώς και Νεαπόλεως»

Sunset over the Evros

Where the sun scatters its golden
beams, no other stars rise to meet it.

Georgios Vizyinos, "Between Piraeus and Naples"

Δεξιά: Ο Ερυθροπόταμος και το κάστρο
του Διδυμοτείχου φωτισμένο

Right: River Erythropotamos and the citadel
of Didymoteichon floodlit

Στο Δέλτα του Έβρου

Ω φύση, παγγεννήτρα θεά,
μητέρα πολυμήχανη,
αυτάρκεια, δικαιοδότειρα, πολυώνυμη
υπακοή των Χαρίτων,
αιθέρια, γήινη και θαλάσσια
προστάτιδα.

Ορφικός ύμνος 10,
μετάφραση Δ.Π. Παπαδίτσας - Ε. Λαδιά

In the Delta of the Evros

O nature, divine progenitrix of all,
resourceful mother,
self-sufficient, fountain of justice,
bearer of many names,
mistress to the Graces, protectress
by air and land and sea.

Orphic paean 10

172

173

Επικαλούμαι την νύμφη του Ωκεανού, λαμπρόφθαλμη Τηθύν,
άνασσα μελανόπεπλο, γοργοβάδιστα που ανασηκώνει κύματα,
που σε γλυκόπνοες αύρες τρεμοσαλεύει στη στεριά,
που ευφραίνεται απ' τα πλοία, ω θηριοτρόφα, νεροτάξιδη,
μητέρα της Κύπριδος, μητέρα σκοτεινών νεφών.
Ορφικός ύμνος 22, μετάφραση Δ.Π. Παπαδίτσας - Ε. Λαδιά

I call upon the bride of the Ocean, bright-eyed Tithys,
black-veiled queen, fleet-footed, who stirs up the waves,
who with sweet-scented breezes drifts across the land,
rejoicing the ships, o tamer of wild beasts, sea-traveller,
mother of Aphrodite, mother of looming clouds.
Orphic paean 22

Έβρος

*Και τα σωθικά σου, φωτεινά και
γαλάζια, σαν τον ουρανό, βουίζουν
από τα κελαδήματα, λες και πήρανε
μέσα τους όλα τα πουλιά.*

Κώστας Βάρναλης, «Ο μονόλογος του Μώμου»

Evros

*And your innermost heart, bright and
blue as the sky, echoes with singing,
as if harbouring all the birds in the world.*

Kostas Varnalis, "The monologue of Momus"

INDEX OF PHOTOGRAPHS

177